WARSZAWA

Polish-English edition

Fotografie
Marek Czasnojć i Michał Grychowski

Glob

Przedmowa
Juliusz Wiktor Gomulicki

Opracowanie graficzne
Dorota Fomin-Malicka
Agnieszka Włodarczyk

Fotografie wykonali
Marek Czasnojć: 1, 2, 4 - 13, 15, 17 - 27, 37 - 44, 47 - 53, 55 - 60, 62 - 74, 90 - 93, 95, 96, 103 - 106, 108 - 110, 114 - 157, 162 - 190
Michał Grychowski: 3, 14, 16, 28 - 36, 45, 46, 54, 61, 75 - 89, 94, 97 - 102, 107, 111 - 113, 158 - 161, 191 - 208

ISBN 83-85229-66-3

GLOB JV, Szczecin 1993
Wydanie I. Nakład 6000 egz.
Wrocławskie Zakłady Graficzne

WARSZAWA, JAKA JEST

O Warszawie można nieskończenie. Można więc pisać o niej nie tylko jako o rezydencji królewskiej czy też stolicy Rzeczypospolitej Szlacheckiej, ale również jako o duchowej stolicy Polski porozbiorowej albo stolicy dzisiejszej Niepodległej. Można również traktować ją jako polski Paryż albo polskie Termopile, jako Miasto Nieujarzmione albo miasto Wiecznego Rewolucjonisty, a także jako Serce Polski albo nawet jako Warszawkę. Nie tu zresztą koniec jej analogicznych mian zastępczych. Dość przypomnieć choćby takie antytetyczne, jak Matka albo Wdowa, Dziewica albo Matrona, Kołyska albo Mogiła oraz Dom albo Cmentarz. I jeszcze kilkadziesiąt innych, prawie zawsze zaś trafnych.

No, i oczywiście w ich rozmaitych a symbolicznych barwach: w amarancie, w czerni i w czerwieni.

Otóż pisząc niniejszy drobiazg, pragnąłbym możliwie całkowicie zrezygnować z tego rodzaju metaforyki i po prostu przedstawić garść własnych uwag i przemyśleń na temat takiej Warszawy, „jaka jest", czyli takiej, jaką widzę d z i s i a j, spacerując po jej ulicach albo patrząc na nią z okna samochodu, autobusu czy też tramwaju.

I ja wszakże uznaję w tego rodzaju „oglądach" potrzebę jakiejś mocniejszej przyprawy, toteż swoje luźne refleksje poprzedzę dwoma obrazami mieszczącymi się w ramach swoistej dialektyki historycznej. Pierwszy z nich obejrzałem na ekranie telewizora. Drugi ukształtował mi się w pamięci pod wpływem tego pierwszego i dzięki pewnej osobliwej a sensacyjnej klamrze historycznej i heraldycznej. Powiem jeszcze inaczej: pierwszy ukazał mi warszawskie „dziś", drugi zaś uświadomił mi prastare warszawskie „wczoraj", które w stosunku do tego „dziś" było w jakiejś mierze ziarnem, nasieniem czy też przyczyną sprawczą.

Ucięta głowa

Zacznę, co chyba naturalne, od „wczoraj".

Otóż przy Alejach Ujazdowskich, tuż obok Łazienek, znajduje się Ogród Botaniczny. Niestary to i niewielki ogród, urządzono go jednak na takim miejscu, które było widownią bardzo ważnego epizodu historycznego. Tam mianowicie, na gruntach średniowiecznego Jazdowa, stał ongiś niewielki drewniany gród, w którym 23 czerwca 1262 roku — a więc w sam dzień uprawianych jeszcze wtedy obrzędów pogańskiej s o b ó t k i („na samyja kupalija", jak czytamy w *Latopisie Hipackim* — gościł książę mazowiecki, Siemowit, ze swym starszym synem, Konradem.

Tradycyjne zabawy — tańce, śpiewy, wianki i nocne ogniska — skupiły zapewne zarówno całą ludność okoliczną, jak i dworskich książęcych, równocześnie jednak stały się wymarzoną okazją do zaatakowania Jazdowa przez czatujące w pobliżu, ale przez nikogo nie zauważone, oddziały ruskie i litewskie. Gródek został wtedy spalony, księciu Siemowitowi ucięto głowę, a młodocianego Konrada wzięto, na krótko zresztą, do niewoli.

Opisane tu wydarzenie, typowe dla tamtej epoki, tym się jednak różniło od innych, że stało się pierwszym ogniwem procesu historycznego, który po upływie dwudziestu paru lat zakończył się zbudowaniem nowego grodu, usytuowanego w miejscu trudniej dostępnym, a także, prawie równocześnie, wytyczeniem na jego podgrodziu granic nowego miasta. Taki był właśnie początek dzisiejszej Warszawy i dzisiejszego Zamku warszawskiego. Taki był również początek najstarszego kościoła przyszłej stolicy, któremu — zapewne na prośbę księcia Konrada — dano za patrona św. Jana Chrzciciela. Było to zaś, co trzeba dobitnie podkreślić, aż potrójne nawiązanie do niedawnej tragedii jazdowskiej. Najpierw d a t ą, tak się bowiem złożyło, że pogańskie sobótki odbywały się w wigilię św. Jana Chrzciciela; po wtóre, wspólną kultową tradycją w o d y, co w przypadku Świętego wiązało się z dokonanym przez niego chrztem Jezusa w Jordanie; po trzecie wreszcie, identycznie dokonanym zabójstwem zarówno księcia Siemowita, jak i Jana Chrzciciela, któremu na życzenie Salome obcięto głowę. Ba, głowa św. Jana na półmisku jest właśnie herbem Kapituły warszawskiej.

Te wszystkie trzynastowieczne wydarzenia stanowiły treść mego „drugiego" obrazu, którego wywołaczem stał się pierwszy, jak najbardziej już aktualny. Była to mianowicie ostatnia warszawska wizyta Prezydenta Stanów Zjednoczonych, który 5 lipca 1992 roku, pragnąc oddać hołd prochom Ignacego Paderewskiego, przeszedł w towarzystwie Prezydenta Rzeczypospolitej Polskiej z dziedzińca Zamku Królewskiego, a więc z tego miejsca, gdzie książę Konrad wzniósł swój gród warszawski, do Bazyliki św. Jana, a więc do tej świątyni, która zarówno swój początek, jak i swoje wezwanie zawdzięczała właśnie krwawym wydarzeniom jazdowskim. To wszystko zaś, podkreślam, stało się prawie dokładnie w 730. rocznicę owych wydarzeń.

Jakiż to piękny i wymowny, chociaż całkowicie przypadkowy, skrót siedmiowiekowych dziejów Warszawy.

Stare Miasto

Bazylika św. Jana, której po ostatniej wojnie przywrócono dawny wygląd zewnętrzny (sprzed roku 1836), stoi jakby na straży całego Starego Miasta, uważanego za najcenniejszy klejnot Warszawy. Starannie odbudowane i zakonserwowane po wojnie razem z nieco młodszym Nowym Miastem, stanowi ono od dawna główny i pierwszy cel prawie wszystkich zbiorowych wycieczek — czy to zagranicznych, czy krajowych.

Głównym skupiskiem takich wycieczek jest zawsze Rynek Staromiejski, który od kwietnia do października rozbrzmiewa corocznie tysiącami młodych głosów w różnych językach. Zgłodniali mogą tu zaspokoić głód Pod Krokodylem albo Pod Bazyliszkiem, spragnieni — napić się kawy albo coca-coli bezpośrednio na Rynku, w fotelikach pod barwnymi parasolami, a „pamiątkarze", czyli kolekcjonerzy warszawskich widokówek, folderów, przewodników, kaset wideo i wszelkiego rodzaju drobnych obiektów pseudoużytkowych, przeważnie ozdobionych warszawską herbową Syreną — dokonać swych zakupów dzięki kilkudziesięciu znajdującym się tutaj sklepikom, butikom i stoiskom. Amatorzy spokojniejszych wrażeń mogą wreszcie znaleźć chwilę miłego wypoczynku w salach Muzeum Historycznego albo Muzeum Literatury, gdzie Mickiewicz sąsiaduje z Tuwimem, a Maria Dąbrowska z Gombrowiczem.

Rynek, podobny pod tym względem do jakiejś wielkiej ośmiornicy, wypuszcza z siebie osiem macek-uliczek. Najczęściej uczęszczana jest ulica Nowomiejska, prowadząca do XVI-wiecznego Barbakanu, leżącego nad fosą (dzisiaj suchą), ongiś zaś przeznaczonego do obrony miasta od północy. O wiele więcej miłych wrażeń zapewnia jednak ciche i całkowicie pozbawione walorów komercyjnych Krzywe Koło, które na swym załomie otwiera się na resztki XIV-wiecznych murów miejskich, dochodzących w tym miejscu do samego szczytu wysokiej skarpy warszawskiej. Umieszczono na nich ładną Syrenkę dłuta Konstantego Hegla, nie ona jednak przyciąga tutaj przechodniów, ale wspaniały widok, jaki roztacza się z pobliża owej Syrenki na biegnącą dołem ulicę Mostową oraz na szarą bryłę Prochowni (dzisiaj teatru, ongiś zaś po prostu więzienia), a także, wiosną i latem, na ogromny dywan zieleni obsuwający się ze skarpy aż po nabrzeże Wisły. Innym interesującym minitraktem staromiejskim jest Piwna, równoległa do Świętojańskiej i z tego właśnie powodu zabierająca jej część sezonowych pielgrzymów. Tu stoi drugi pod względem wieku kościół warszawski, pod wezwaniem św. Marcina, zdobny piękną dzwonnicą i przyciągający nawet niedowiarków cichym urokiem swych dwóch poklasztornych podwórców. Taką samą odwieczną ciszą tchnęła ongiś spokojna i wypieszczona pod względem architektonicznym Kanonia. Może z tego powodu, że był tu w średniowieczu... mały cmentarzyk? Dzisiaj jednak i przez ten ładny placyk przebiegają tabuny rozwrzeszczanych turystów.

Ale nawet turyści nie przeszkodzą nam rozsmakować się w osobliwościach i pięknościach Starego Miasta, jeżeli wybierzemy sobie pewne trasy indywidualne. Osobom starszym i z trudem chodzącym proponuję więc spokojny spacer wzdłuż średniowiecznych murów miejskich: od Barbakanu do mostu gotyckiego na placu Zamkowym. Młodszym z kolei (młodzi sami się o siebie zatroszczą) moje własne itinerarium: Celną do Bugaju, Bugajem do Kamiennych Schodków, a Kamiennymi Schodkami przez Krzywe Koło do Syrenki Hegla.

Wszystkim miłośnikom Starego Miasta proponuję zaś, od wiosny do jesieni, spokojny spacer — z wieloma przystankami — Wybrzeżem Gdańskim. Przystanki są oczywiście po to, żeby za każdym razem spojrzeć w górę na stare domy, dachy, ganki oraz balkony. No i przed siebie — na zielony dywan rozciągający się u podnóża skarpy warszawskiej.

Place i ulice

Czy Warszawa ma w ogóle jakieś autentyczne, w pełnym znaczeniu tego słowa, p l a c e? Otóż i ma je, i zarazem nie ma, każdy z nich bowiem domaga się ważnego uzupełnienia.

W rankingu oficjalnym, a przez wiele lat i w rankingu „patriotycznym" (Grób Nieznanego Żołnierza), pierwsze miejsce zawsze przyznawano placowi Saskiemu: jedynemu, mówiąc nawiasem, placowi stołecznemu, któremu aż czterokrotnie zmieniano jego pierwotną nazwę (1928: plac Józefa Piłsudskiego, 1939: Adolf Hitler Platz, 1946: plac Zwycięstwa, 1991: ponownie Piłsudskiego). Nie chodzi mi tu zresztą o jego nazwę. Rzecz w tym, że ów plac — chyba najpiękniejszy plac Warszawy — nie tylko został okaleczony podczas ostatniej wojny, tracąc prawie całą swą obudowę, ale ponadto wykolejony urbanistycznie zarówno przez potężną bryłę Teatru Wielkiego, którego klasycystyczna fasada wychodzi na... plac Teatralny, jak i przez zgrabnie skomponowany, tu jednak mniej odpowiedni, gmach niedawno wzniesionego hotelu Victoria. Pomimo wszystko jednak, jaki to jeszcze ładny plac. I jaki funkcjonalny.

O wiele mniej zastrzeżeń można mieć w stosunku do placu Teatralnego, któremu trzeba koniecznie zafundować brakującą ścianę północną, a przynajmniej zrekonstruować dawny pałac Jabłonowskich (tj. przedwojenny Ratusz) albo postawić coś odpowiedniego na jego miejscu. W pewnej mierze wyrówna to również, no i znacznie osłabi, tę swoistą dysproporcję wysokościową (a zarazem deformację stylową), która tak dzisiaj razi wielu warszawiaków w związku ze wzniesieniem na tyłach tego placu trzech nowoczesnych wieżowców (Trzy Słupy Herkulesa). Mnie one zresztą tak bardzo nie rażą, parowiekowe miasto bowiem to przecież w dużej mierze żywy organizm, rozwijający się często wbrew zaleceniom takich czy innych oficjalnych opiekunów. I miasto zresztą, podobnie jak i organizm, może ulegać chorobom i okaleczeniom, a nawet amputacjom i transplantacjom, nie tracąc wszakże swojej identyczności. Otóż Warszawa nigdy jej nie utraciła, podobnie jak nie utracił jej Nowy Jork, pomimo że dzisiejszy widok Manhattanu zmusiłby nowojorczyka z połowy ubiegłego stulecia do starannego przetarcia oczu i zapytania, gdzie on się właściwie znajduje.

Na osobną i szczególną uwagę zasługuje plac Zamkowy, który narodził się jeszcze w XVII wieku, ale który bardzo długo dorabiał się i swojej funkcji (placowej), i swojej dzisiejszej nazwy. Od połowy XVIII do połowy XIX wieku był on na przykład swoistym odpowiednikiem Rynku Staromiejskiego, pełniąc nie tylko rolę miniaturowego targowiska oraz publicznej garkuchni („pod niebem"), ale również ulubionym miejscem pogawędek oraz wymiany informacji i wszelkiego rodzaju plotek. Taki specyficzny charakter zawsze mu nadawała — i jeszcze dzisiaj nadaje — kolumna Zygmuntowska. Pod nią to właśnie można zawsze umówić się na randkę, skrzyknąć kolegów na zbiorowe spotkanie albo sympatyków na okolicznościową demonstrację, a nawet — w odpowiednim momencie — wygłosić przemówienie. W międzywojennym dwudziestoleciu było to również miejsce częstych uroczystości publicznych, co i teraz zaczyna się powtarzać w związku z odbudowaniem Zamku Królewskiego.

Plac to właściwie i „nieplac", nieforemny bowiem, nierówny, o paru płaszczyznach i tylko w minimalnym stopniu pełniący funkcję komunikacyjną, którą przejął od niego mieszczący się pod jego powierzchnią Tunel (W-Z). W 90 procentach jest to mianowicie miejsce wyłącznie dla spacerowiczów, dla dzieci, dla wycieczek zamkowych, dla turystów oraz dla przygodnych przechodniów. Odbudowanie Zamku podwoiło frekwencję jego stałej „publiczności", zmniejszającej się na przełomie roku, powiększającej zaś w miesiącach turystycznych. Stąd zresztą prowadzi najwygodniejsza droga na Stare Miasto, no i główna do Zamku. Dodam zaś, co interesujące, że na ów plac-nieplac prowadzi aż o s i e m ulic, a ponadto że od wschodu zamyka go kamienna balustrada, spod której roztacza się nader malowniczy widok. W dół: na setki barwnych samochodów bądź wyjeżdżających z Tunelu, bądź wjeżdżających do niego przez most Śląsko-Dąbrowski. I przed siebie: latem na gęstwę zieleni przysłaniającej na horyzoncie Pragę, a jesienią i zimą na majaczejące w dali stare praskie domiska.

Przedłużeniem placu Zamkowego, a w pewnej mierze i jego cząstką, jest Krakowskie Przedmieście, najdostojniejsza i najbardziej historyczna ulica Warszawy, którą otwiera prastara Dzwonnica Św. Anny (z jej najwyższego piętra piękny widok na miasto), a zamyka — prawie symbolicznie — pomnik Kopernika oraz Pałac Staszica. Ona to również zaczyna tak zwany Trakt Królewski, ciągnący się aż do Belwederu (a gdyby się kto uparł, to i do Wilanowa).

Najbardziej ożywioną i najtłumniej uczęszczaną partią owego Traktu jest młodszy od Krakowskiego Przedmieścia Nowy Świat, któremu jednak najlepiej przyglądać się od strony skrzyżowanych z nim Alej Jerozolimskich. Dopiero wtedy mianowicie dojrzymy i docenimy jego prześliczną półkolistość, pozwalającą go po prostu z o b a c z y ć, i to w całej jego barwności i okazałości. (Ulic wyciągniętych „pod linię" prawie wcale przecież nie widać).

Jego nieomal równolegle położonym odpowiednikiem (a właściwie odpowiednikiem całego Traktu Królewskiego) jest długa ulica Marszałkowska. Jakże jednak odmienna! W przeciwieństwie do Nowego Światu bardzo ją mianowicie poszerzono, odbierając jej tym samym to właśnie, co tamtej ulicy szczęśliwie pozostawiono, a co można by nazwać swoistą „domowością" czy intymnością albo przytulnością. Co więcej, Marszałkowską prawie całkowicie przebudowano, odbierając jej z kolei tak bardzo cenioną przez starszych mieszkańców Warszawy identyczność. W rezultacie jest to dziś bardzo ważna arteria stołeczna — komunikacyjna, handlowa i usługowa — nieporównywalna już jednak, jak to było przed wojną, z obecnym (też już zresztą odmienionym) Nowym Światem.

I Marszałkowska jednak, dzisiaj ciągle jeszcze zaniedbana, może się w przyszłości odmienić. Wtedy zwłaszcza, gdy zostanie rozwiązany warszawski urbanistyczny węzeł gordyjski, czyli problem tak zwanego placu (?) Defilad, a razem z nim — Pałacu Kultury i Nauki. Warto chyba poczekać.

Warszawa ma kilka tysięcy ulic, toteż wymienienie jakiejkolwiek jeszcze spoza tych, które już wspomniałem, zawsze może budzić zrozumiały sprzeciw. Ja wszakże nie mogę pominąć tu ulicy Chmielnej, przynajmniej na jej odcinku łączącym Nowy Świat z Marszałkowską. I to zresztą nie z tego powodu, że jej rodowód sięga początku XV stulecia, ale że to najpopularniejsza w Warszawie, prawie od półwiecza, ulica „prywaciarska". Laski, parasole, obuwie, torebki, portfele, zegarki, pierścionki, bransoletki i co tam jeszcze może się zachcieć naszym paniom i panom — wszystko mogliśmy i nadal możemy kupić na tej ulicy. Bywa nawet, że przy muzyce tutejszej kapeli ulicznej.

Wieżowce i pawilony

Bezpośrednio po zakończeniu ostatniej wojny jednym z najczęściej wymienianych w druku warszawskich słów-haseł był termin „odbudowa". Nie było to jednak hasło na wyrost, chociaż zniszczenie lewobrzeżnej Warszawy, a więc tej „prawdziwej", rodzonej i pierworodnej obejmowało ponad 80 procent zabudowy. Otóż w ciągu jednego zaledwie dziesięciolecia zdołano odbudować całe ulice i całe dzielnice tego miasta. Tysiące domów mieszkalnych i zakładów przemysłowych, setki kościołów, urzędów i pałaców, dziesiątki mostów i obiektów komunikacji. Było to osiągnięcie tego wymiaru, że — pragnąc uniknąć niewłaściwego tu patosu — posłużę się po prostu słowami (wówczas ogromnie przesadnymi), jakie przed dwustu laty wyszły spod pióra jednego ze stołecznych wierszopisów: „Miasto nowy kształt brało, i zdało się prawie, / Że się sama Warszawa dziwiła Warszawie".

Tak się jednak składa, że większość warszawiaków urodzonych po roku 1950 albo nie umie, albo nawet nie pragnie wyobrazić sobie tego gigantycznego osiągnięcia. Spospolitowano je zresztą w tylu setkach okolicznościowych wierszy i czytanek, oblano tyloma galonami lukru i czekolady, że wielu ludziom nie chce się w ogóle wierzyć, że to wszystko było prawdziwe. Oni pamiętają jedynie pokraczną ruinę Zamku Królewskiego, który d o p i e r o   p r z y   n i c h   dźwignięto z rumowiska, i obojętnie przechodzą Starym Miastem, które w całości było j e d n y m   w i e l k i m   s z k i e l e t e m. A to samo można również powiedzieć o większości warszawskich budynków reprezentacyjnych: kościołach, pałacach oraz gmachach publicznych.

Po o d b u d o w i e przyszedł zresztą czas i na b u d o w ę, której zawdzięczamy wiele zupełnie nowych a nieodzownie potrzebnych miastu obiektów: poczynając od nowych budynków Sejmu i Narodowego Banku Polskiego, poprzez Ścianę Wschodnią i Trasę Łazienkowską, kilku „markowych" hoteli oraz wielu osiedli mieszkaniowych, a kończąc na świeżo otwartym międzynarodowym lotnisku na Okęciu.

Przeciętny warszawiak, kręcący się często tylko na terenie swojej „małej ojczyzny", ulicznej lub dzielnicowej, może nawet przez wiele lat widzieć takie obiekty albo wyłącznie na fotografii, albo na ekranie telewizora.

I on jednak umie się posługiwać dwoma terminami, które w ostatnich latach szczególnie mocno zakotwiczyły się w codziennym warszawskim słownictwie architektonicznym. Pierwszym z nich jest „wieżowiec", drugim — „pawilon".

Stąd również zainteresowanie okazywane każdemu nowo zbudowanemu wieżowcowi. Kontrowersyjne w przekonaniu architektów i urbanistów, a wspomniane już wyżej, Trzy Słupy Herkulesa były więc z kolei wysoko oceniane przez wielu „statystycznych" warszawiaków. Wiele spośród owych wieżowców prawie natychmiast otrzymuje zresztą charakterystyczne nazwy, wyróżniające je spośród innych. Tak więc na przykład mamy już w stolicy wieżowiec Żyletkę oraz wieżowiec Błękitny. Najwięcej kłopotu przysporzył warszawiakom wieżowiec budowany przez długie lata na placu Bankowym, akurat naprzeciwko klasycystycznego gmachu Urzędu m.st. Warszawy (autor Antonio Corazzi, 1830), który spłonął w roku 1944 i który został bardzo starannie odbudowany w latach 1950—1954. Otóż najpierw toczyły się nie kończące się spory na temat przerwanej budowy tego wieżowca, wtedy zaś kiedy ją na nowo podjęto, zaczął on zmieniać kolejno swą barwę, co odbiło się w rezultacie i na jego kolejnych nazwach. Na początku był więc Złoty (albo Złocisty), następnie Pomarańczowy, ostatecznie zaś Srebrny (Srebrzysty).

Najgorętsza dyskusja toczy się jednak nie na temat nowych wieżowców, ale na temat Pałacu Kultury i Nauki, który jest tylko pseudowieżowcem (ze względu na swą wysokość: wraz z iglicą 234 m), ale który zarówno własnym rozmiarem (817 000 m^3), jak i rozmiarem swego bezpośredniego otoczenia (tzw. ongiś plac Defilad) zabrał stolicy ogromny obszar, potrzebny jej do innego rodzaju zabudowy.

To jednak problem dalszej przyszłości, podczas gdy szybszego rozwiązania wymaga problem wspomnianych już „pawilonów", czyli małych parterowych budynków handlowych, postawionych t y m c z a s o w o na miejscu wyburzonych kamienic, ale istniejących już tam przez dziesiątki lat i uniemożliwiających właściwe wykorzystanie cennej infrastruktury. Osobliwy to warszawski folklor architektoniczny, którego najbardziej rzucającym się w oczy przykładem jest sto kilkadziesiąt (!) pawilonów zajmujących całą nieparzystą stronę Marszałkowskiej pomiędzy Świętokrzyską a Królewską. Osobliwy, a nawet może jeszcze przez jakiś czas pożyteczny, ale oczywiście przeszkadzający ukształtowaniu śródmieścia Warszawy i z tego choćby powodu słusznie skazany na zagładę.

To zresztą już tylko smutne pozostałości zburzenia stolicy w roku 1944. Nie one też stanowią o walorach zabudowy tego miasta, ale takie budowle, jak Zamek Królewski albo łazienkowski pałac Na Wodzie, wypełnione bezcennymi pamiątkami przeszłości, cudownie ocalałymi przed wojennym zniszczeniem, podobnie jak w całości ocalały barokowy pałac Wilanowski, razem ze wszystkimi swymi budowlami przypałacowymi oraz z jedynym w swoim rodzaju zespołem parkowym, w którym barok towarzyszy romantyzmowi, angielszczyzna zaś łączy się z chińszczyzną.

Zieleń

Parki wilanowskie natychmiast wywołują w pamięci problem zieleni warszawskiej, dzisiaj stokroć ważniejszy aniżeli sto lat temu, tym bardziej zaś aktualny, że Warszawa ma jeszcze, na szczęście, sporo terenów zielonych, którym dzisiaj trzeba poświęcić o wiele więcej uwagi i troski aniżeli wtedy, gdy miasto dźwigało się z ruin.

Gdy warszawiak mówi o z i e l e n i, myśli przede wszystkim o Łazienkach, nie w kontekście architektonicznym jednak (pałac Na Wodzie, Biały Domek, Pomarańczarnia, teatr Na Wyspie itd.), ale przyrodniczym. Ileż bowiem jeszcze zieleni zachowało się w Łazienkach: i na ich starannie pielęgnowanych gazonach, i na stokach ich skarpy — w trawach, w kwiatach i na drzewach. Wiosną istny to raj dla zakochanych, szukających tu miejsc najbardziej zacisznych i oddalonych od tłumnych wycieczek turystycznych. I jakiż to raj dla dzieci, wlepiających oczy nie w kamienne postacie mitologicznych nimf i satyrów, ale w różnobarwne trawniki albo w takie gąszcze zielonych krzewów, w których mogłyby bawić się w chowanego.

Tuż przy Łazienkach znajduje się Ogród Botaniczny. ,,Unaukowiony'', ale mimo to zawsze przyciągający miłośników przyrody, zwłaszcza wiosną, gdy zakwitną bzy i gdy spacerując ich aleją, oddycha się po prostu poezją. Gdzie zresztą można znaleźć w Warszawie tyle egzotycznych kwiatów? Gdzie napotkać takie dorodne okazy modrzewi, grabów albo platanów? Szczególną uwagę zwiedzających (niebotaników) zwracam osobiście na niewielki pagórek wznoszący się tuż obok ruinki Świątyni Opatrzności (1792). Widok, który się z niego roztacza na niższe partie ogrodowe, wart jest, moim zdaniem, o wiele więcej niż oglądanie najnowszych modeli samochodów japońskich.

Nie będę już opisywał innych ,,zielonych'' miejsc stolicy: parków (Ujazdowski, Krasińskich, Praski i inne), ogrodów (Pomologiczny i inne), ulic (na przykład prześliczna alejka Tołwińskiego na Sadach Żoliborskich), skwerów oraz przypadkowych zieleńców (jak ten, który j e s z c z e się zachował naprzeciwko hotelu Bristol), nie mogę jednak nie przypomnieć tu Ogrodu Saskiego, udostępnionego publiczności warszawskiej już w roku 1727. Otóż zabytkowy ów ogród, stanowiący przez ponad dwieście lat (!) letni salon stolicy i będący jedynym już dzisiaj — pomniejszonym, ale jeszcze wyraźnym — świadectwem słynnej Osi Saskiej, powinien być w najbliższej przyszłości otoczony specjalną troską gospodarzy naszego miasta. Trzeba mu więc przywrócić dawną świetność, którą ostatnio utracił, a której — w jej rozmaitych aspektach — domaga się nie tylko głos publiczności: historyków, urbanistów, przyrodników i w ogóle wszystkich miłośników Warszawy, ale również głos zdrowego rozsądku. Ekologicznego!

Najlepszym zakończeniem moich luźnych uwag i refleksji będą na pewno mądre słowa wypowiedziane na temat Warszawy Stanisławowskiej przez jednego z pisarzy polskich XVIII wieku, Franciszka Salezego Jezierskiego. ,,To miasto uważać należy dwojako — pisał on około roku 1790, w dobie największego rozkwitu ówczesnej Warszawy — raz: ile jest miastem, drugi raz zaś, ile dopiero nim ma być na potem''.

Otóż patrząc dzisiaj na Warszawę, tylekroć burzoną i tylekroć zatrzymywaną w swym rozwoju przez zaborców lub okupantów, musimy zawsze pamiętać, że to aż do dzisiaj miasto w jakiś sposób ,,nie dokończone''. I że w najbliższych dziesięcioleciach musimy dla niego tyle uczynić, żeby ,,na potem'' została nam tylko troska o jego dalszy, naturalny już, rozkwit.

Juliusz Wiktor Gomulicki

WARSAW — AS IT IS

Warsaw can be dealt with everlastingly. It can be written about as a royal residence or a capital of Noblemen's Commonwealth, as well as a spiritual capital of post-partition Poland or of the contemporary Independent State. It can also be treated as Polish Paris or Polish Thermopylae, as Unsubdued City or Eternal Revolutionary, also as the Heart of Poland or even as... Warsavette. And it is not the end of its analogous substitute names. Suffice it to mention at least such antythetic ones as: Mother or Widow, Virgin or Matron, Cradle or Grave, and Home or Cemetery. And still many more, almost always fit.

Sure enough in their various yet symbolic colors: purple, black and scarlet.

And so writing this piece I would like to give entirely up such metaphors and simply present a bunch of my own remarks and meditations on Warsaw as „it is", as I see it t o d a y, strolling along its streets or watching it through a window of a car, a bus or a tram.

I too admit, however, in such insights the necessity of a stronger flavor, therefore my loose thoughts will be preceded by two pictures falling within the frame of a peculiar historical dialectics. The first was seen by me on a TV screen, the latter has been shaped in my memory both under the influence of the former as well as of an odd, yet sensational historical and heraldic bracket.

Let me say it otherwise: the former showed me Warsavian „today", whereas the latter made me aware of the ancient Warsavian „yesterday", which in relation to this „today" was in a way a grain, a seed or a cause.

A head once chopped off

I will start, what seems rather natural, from „yesterday".

So, in Ujazdowskie Avenues, by the Łazienki, there is the Botanic Garden. Neither old nor large the garden itself is located on such a site which witnessed a very important historic episode. It was there, on the grounds of medieval Jazdów, where used to be a small wooden fortress which on June 23, 1262, namely on the very day of then still celebrated pagan rite called „sobótki" („na semyja kupalija" as we read in *Latopis Hipacki,* or Midsummer Night to get the notion) was visited by Siemowit, the Duke of Mazovia, with his elder son, Konrad.

Traditional festivities — dancing, singing, wreaths floating and setting bonfires — undoubtedly attracted both local countrymen and the duke's courtiers, creating simultaneously an ideal opportunity to attack Jazdów by the Ruthenian and Lithuanian ambush, unnoticed by anybody. The fortress was burnt, the duke beheaded and the juvenile Konrad captured prisoner. Not for long, however.

The above depicted event, though characteristic for the epoch, differed from all others in that it constituted the initial link of a historical process which after over twenty years led to the completion of a new fortress located on less accessible grounds and also, almost simultaneously, to the layouts of a new town on its borough. Such was the beginning of the present-day Warsaw and the contemporary Warsaw Castle. Such was also the beginning of the oldest church of the future capital which — most probably due to duke Konrad's request — obtained St John the Baptist as its patron. That was, however, what should be clearly emphasized, an even threefold reference to the recent Jazdów tragedy. Firstly, the d a t e, it so happened that the pagan sobótki were celebrated on the eve of St John's; secondly, the mutual cult tradition of w a t e r, which in the case of the Saint was connected to his performing of Jesus's baptism in the Jordan; thirdly at last, the exactly similar homicide both on the Duke Siemowit and John the Baptist who was beheaded on Salome's request. What is more, St John's head laying on a platter is the heraldic arms of Warsaw Chapter.

All of these 13th century events constituted the matter of my second picture, provoked by the former, yet undoubtedly current one. It was namely the last visit of the US President who, paying homage to the ashes of Ignace John Paderewski, on July 5, 1992, accompanied by the President of Polish Republic, made a walk from the courtyard of the Royal Castle, that is from the very place where Duke Konrad erected his Warsaw seat, to St John's Basilica, that is to the temple the beginning and invocation of which was due to the bloody events of Jazdów. All of these however, let it be emphasized, happened almost exactly on the 730th anniversary of the bygone events.

What a beautiful and suggestive, yet entirely coincidental abridgement of seven-century-long history of Warsaw.

Old Town

St John's Basilica which after World War II regained its ancient outward look (from before 1836) stands as if on guard of the entire Old Town, which has been assumed the most precious jewel of Warsaw. Restored with extremely great care and well preserved after the war, the Old Town, together with a bit younger New Town, has for a long time constituted the first and the main goal for almost all touring parties, both from home and abroad.

The main gathering site of such parties is always the Old Market Square which from April through October echoes thousands juvenile voices in various languages. The starving can easily appease his hunger at the Pod Krokodylem or Bazyliszek restaurants, the thirsty — have a sip of coffee or coke directly on the square, on chairs under the colorful sunshades, whereas souvenir hunters or collectors of Warsaw viewcards, brochures, guidebooks, video casettes and all other small pseudo-usable gadgets, most often embellished with the Warsaw Mermaid — make their purchase in numerous shops, boutiques and stalls. Amateurs of more tranquil sensations can find a moment of pleasant repose within the interiors of the Warsaw History Museum or the Museum of Literature where Mickiewicz is side by side with Tuwim, and Maria Dąbrowska is with Gombrowicz.

Market Square, resembling in this respect a huge octopus, lets out eight tentacle-streets. The most frequented of them is Nowomiejska Street leading to the 16th century Barbican located over a moat (now dry), then destined to defend the town from the north. A lot more and nicer impressions are secured by a quiet and completely deprived of commercial values Krzywe Koło Street, which at its bent opens itself onto the remnants of the 14th century town walls which over here reach the very peak of high Warsaw cliff. Located here is a cute little Mermaid by Konstanty Hegel, yet it is not her that attracts the passers-by, but the magnificent view over the running beneath Mostowa Street and a gray body of the Prochownia (presently a theater, formerly, however, simply a prison) and also in spring and summer over a huge carpet of green rolling down the slope until the bank of the Vistula. Another interesting mini-route throughout the Old Town is Piwna Street parallel to Świętojańska Street and due to this depriving the latter of a portion of its seasonal pilgrims. Here stands the second largest Warsavian church under the invocation of St Martin, adorned with a beautiful belfry and attracting even sceptics by a serene charm of its two post-monastery closes. With the same ancient tranquility evinced once a quiet and architecturaly cherished Kanonia. Possibly because in the Middle Ages there was here... a little cemetery. Today, however, this nice square, too, is swarmed with herds of boisterous tourists.

But even tourists will not disturb our tasting the peculiarities and beauty of the Old Town if we chose certain individual routes. To the elderly people walking with some uneasiness I suggest therefore a peaceful stroll along the medieval town walls: from the Barbican to the Ghotic Bridge on the Castle Square. To the younger ones (youngsters will take care of themselves) my own itinerary: along Celna to Bugaj Streets and then along Kamienne Schodki and Krzywe Koło Street over to Hegel's Little Mermaid.

To all lovers of the Old Town I suggest, however, from spring through fall, a quiet stroll — with many halts — along the Wybrzeże Gdańskie (Gdańsk Embankment). The stops are certainly reasoned to have a glance upwards at the houses, their roofs, porches, and balconies. And straight away — at the green carpet spreading at the foot of Warsaw cliff.

Squares and streets

Does Warsaw at all have any authentic, in the full sense of the word, s q u a r e s ? So, in fact, it does and at the same time it does not, as each of them calls for some crucial supplement.

In the official ranking and for many years in the „patriotic" one (the Unknown Soldier's Tomb) the prime position has always been assigned to the Saski Square: the only, by the way, square in the capital which was four times renamed (1928: Józef Piłsudski Square, 1939: Adolf Hitler Platz, 1946: Victory Square, 1991: Piłsudski Square once again). It is not just its name that I care about, but the circumstance that this square — probably the most beautiful square in Warsaw — was not only mutilated during the last war by the loss of its entire surrounding structures but, moreover, architecturally vitiated by the mighty body of the Grand Theater whose classicist façade faces... the Theater Square, as well as by a neatly shaped though less fitted here the structure of a recently completed Victoria Intercontinental Hotel. After all, it is still a nice square. And how functional.

A lot fewer reservations one can have against the Theater Square which should necessarily be granted its missing northern flank or at least the restored Jabłonowski's Palace (that is, the pre-war Town Hall) or something similarly appropriate should be built on the latter's site. It would, in a way, smooth or at least weaken this peculiar disproportion in height (and simultaneously the deformity in style) which now hurts the feelings of numerous Warsavians because of the construction of three modern skyscrapers (Three Pillars of Hercules) at the back of the square. Anyway, they do not annoy me too much since a several-century-old town constitutes a living organism developing most often against the wishes of some or other official sponsors. And the city itself, alike an organism can be succumbed to diseases or wounds, and even amputations or transplantations, and lose no identity of its own at all. And so Warsaw has never lost it, just like New York, which in spite of the fact that the contemporary view over Manhattan would force a New Yorker of the mid-19th century to wipe clear his eyes and ask himself where in fact he is.

A separate and particular attention should be paid to the Castle Square which though born in the 17th century has for a long time been earning both his function (of a square) and its present name. From mid-eighteenth through mid-nineteenth century it was for instance a peculiar equivalent of an old town market square serving not only as a miniature market and a public cook-shop (under open sky) but also as a favorite site for a chat and an exchange of all possible information, gossips included. This specific feature has always been and still is attached to it by

Sigismund's Column. It is highly appropriate to have a date by it, a get-together of friends or a meeting of fans for a circumstantial manifestation or even — at a suitable while — to give a speech. During the interwar decades it was also a site of frequent public festivities which seem to revive, since the Royal Castle has been restored.

It is in fact a square and a „non-square", as it is shapeless, uneven, with several levels and therefore hardly serving any needs of the growing traffic since this one has been taken over by the W-Z Tunnel (East-West Tunnel) running underneath. No wonder that in ninety percent it constitutes an exceptional site for strollers, children, parties of the Castle visitors, tourists and casual passers-by. Restoration of the Castle has doubled the number of steady visitors, which diminishes at the break of the year and increases during the so called touristic months. Anyway, it is from here that the most convenient way sets off toward the Old Town and the main one into the Castle. I will merely add an extremely weird fact that this square — non-square is entered by as many as eight streets and, moreover, that its eastern side is closed by a stone balustrade over which a very picturesque view opens up. Downward: over hundreds of colorful automobiles leaving the tunnel or entering it straight from the Śląsko-Dąbrowski Bridge. And ahead: in the summer over green brushwood veiling Praga (right side of Warsaw) on the horizon, while throughout the fall and winter over the looming afar old Pragian shanties.

An extenstion to the Castle Square and in a way its part is Krakowskie Przedmieście Street, the noblest and most historical street of Warsaw which opens up with an ancient campanile of St Anne's (from top a gorgeous view of the town) and closes — almost symbolically with the monument to Copernicus and the Staszic's Palace. This street simultaneously commences the so called Royal Route running up the Belvedere Palace (and if strongly insisted, even until the Wilanów Palace).

The most vivid and crowded stretch of this route, definitely younger than Krakowskie Przedmieście, is Nowy Świat Street, best viewed from the cross-roads of Jerozolimskie Avenues. It is namely from here that we will notice and appreciate its magnificent semicircle and will be able to s e e it in its full spectrum and glory (doubtless enough that straight linelike streets are almost unseen).

Its quasi-parallel equivalent (more so the counterpart of the entire Royal Route) is the long Marszałkowska Street. How different it is altogether! Contrary to Nowy Świat it has been visibly widened and deprived in this way of what the former luckily retained, namely that, what can be called a peculiar homelikeness or intimacy, or even coziness. Moreover Marszałkowska Street has been almost entirely reconstructed and therefore deprived in turn of its identity, so much appreciated by the elderly inhabitants of Warsaw. As a result it is presently a very important artery — for the traffic, commerce and attendance — incomparable however, as in the pre-war times, to the contemporary (also altered, after all) Nowy Świat.

Marszałkowska Street, however, presently still neglected, may change in the future. Particularly when the Warsaw city-planning Gordian knot is untied, namely the question of the so called Parade Square, as well as the Palace of Culture and Science. It seems worth waiting.

Warsaw has some thousands of streets, therefore mentioning any more, besides those already focussed on, can always evoke justifiable demur. However, I cannot ignore Chmielna Street, at least its section between Nowy Świat and Marszałkowska Streets. And not because its origin dates back to the beginning of the 15th century, but due to its exceptional popularity throughout Warsaw for over a half century as the most entrepreneurish street. Canes, umbrellas, footwear, purses, wallets, watches, rings, bracelets and whatever a man or a woman could think of — everything could and still can be bought on this street. It even happens that shopping is accompanied by a live music performed by a genuine band from Chmielna Street.

Towers and pavillions

Had the World War II ended, one of the most frequently printed Warsavian watchwords was „rebuilding". This was not, however, much of an exaggeration as the destruction of left-side Warsaw, that is the „genuine", born and original one amounted to over eighty percent. And so, during a mere post-war decade entire streets and living quarters of this city were rebuilt. Thousands of houses and apartment buildings, hundreds of factories and enterprises, as well as churches, offices, and palaces, tens of bridges and transport arteries. It was an achievement of such a dimension that — trying not to be pathetic — I will simply quote the words (extremely exaggerated then), which came from under the hand of a Warsavian poet: „The city was taking on a new shape and almost it seemed so, that Warsaw was astonished at Warsaw".

It happens so that the majority of Warsavians, born after 1950, either cannot or simply do not want to conceive that gigantic achievement. Anyway, it was being vulgarized in so many casual poems and reading texts, coated with so many gallons of icing and chocolate, that lots of people do not at all want to believe that it was all true. They hardly remember a queer ruin of the previous Royal Castle, the replica of which g r e w   w i t h   t h e m, and they indifferently walk through the Old Town, which as a whole, was once a   g i a n t   s k e l e t o n. And the same can also be said about the majority of Warsaw stately buildings: churches, palaces and civic edifices.

Had the r e b u i l d i n g been completed, there came a time for the b u i l d i n g, to which we owe a lot of brand new and absolutely necessary structures: starting from the new building of Sejm (Parliament) and the Polish National Bank, through the Eastern Side of Marszałkowska Street and the Łazienki Highway, as well as some chain hotels and housing estates, ending up with a newly opened International Airport in Okęcie.

An average Warsavian, who hardly ever leaves the grounds of his „tiny homeland", be it a street or an apartment block can for years see such buildings either on photos or a TV screen only.

Yet he too is aware and able to use two words which especially recently have firmly anchored themselves in an everyday Warsavian architectural vocabulary. The one of these is a „tower", and the other — a „pavillion". Henceforth a great interest attached to each newly built tower. Controversial in the opinion of architects and planners, earlier mentioned Three Pillars of Hercules were in turn highly priced by a number of average Warsavians. Many of these towers almost immediately obtain certain characteristic names to be easily distinguished from the other ones. Therefore, for instance, we have already had towers like Blade or Blue. The most troublesome tower has been built for many long years on the Bank Square, right across a classicist palace, nowadays the Town Hall (architect Antonio Corazzi, 1830), burnt down in 1944 and restored with great care in 1950 — 1954. Thus, at first, neverending disputes concerned the semi-finished structure, but when the works started anew the building began to change colors, effecting its subsequent names. First it was Gold (or Golden), next — Orange, and finally Silver (or Silvery).

Anyway, the hottest discussion concerns not the new skyscrapers but the Palace of Culture and Science which is only a pseudo-tower (considering its height including the needle — 236 m) but which both with its capacity (817 000 m^3) and the size of its immediate surrounding area (so called the Parade Square) deprived the capital of an enormous space, suitable for other kinds of architecture.

That is however a far fetched question, while more demanding is the problem of the mentioned earlier „pavillions" namely small, one-storey stalls, once t e m p o r a r i l y built on the site of the demolished lodging houses, yet existing throughout decades and hindering from the adequate use of the valuable infrastructure. A peculiar architectural folklore, as it is, catches the eye with over a hundred stalls covering the entire block on the odd-number side of Marszałkowska Street between Świętokrzyska and Królewska Streets. Peculiar, and even possibly useful for a time being, but surely they obstruct the creation of the downtown area and solely due to this justly doomed to perish.

Anyway, these are only some grievous remnants of the 1944 destruction. It is not them, after all, that represent the architectural values of this city, but such edifices as the Royal Castle or the Łazienki Palace on Isle filled with priceless relics miraculously saved from the war holocaust to go side by side with the saved intact the baroque Wilanów Palace together with all its adjoining manors and the unique park complex in which the Baroque neighbors Romanticism and English style merges with the Chinese one.

Verdure

Wilanów parks immediately call for an issue of Warsavian greens, a hundred times more important nowadays than a century ago, more so, a current one as Warsaw still, luckily, has a lot of green areas which demand a greater care and attention now than at the time of the recovery from ruins.

When a Warsavian speaks of t h e   g r e e n s, he means first of all the Łazienki Park and not at all in its architectural context (Palace on Isle, White House, Orangery, Theater on Island etc.) but in the natural one. How much more greenery have survived in the Łazienki: both on the painstakingly cherished lawns and on the slopes of its hillock — in the grass, flowers, and trees. In spring it is a real paradise for lovers seeking most secluded sites, distant from the paths crowded with tourists. And what a paradise for kids gazing not at the stony statues of mythological nymphs and satyrs but at the colorful flower-beds or the green brushwood, an ideal playground for the hide and seek.

Just beside the Łazienki there is the Botanical Garden. „Sophisticated", yet in spite of this, always attracting fans of nature, particularly in spring when fully blossomed are all lilacs and while strolling along the paths you can breathe in pure poetry. Besides where else can you find so many exotic flowers in Warsaw? Where else can you face such shapely specimens of larches, hornbeams or sycamores? Particular attention of visitors (non-botanists), which I personally recommend, should be paid to a tiny hillock by a ruinette of the Temple of Providence (1792). The top view over the lower sections of the garden is far more, at least as I see it, worthy than glancing at the latest models of Japanese automobiles.

I am not going to describe other green spots of the capital: the parks (Ujazdowski, Krasińskis', Pragian and others), the gardens (Pomological and others), the streets (as the marvellous Tołwiński Pass in Sady Żoliborskie), the squares nor the casual lawns (as for example the one still existing by the Bristol Hotel), however I cannot ignore the Ogród Saski, opened to the public as far as in 1727. And so, as a relic, going for over 200 years as a summer promenade of the capital and the only at present — dwarfed, yet still significant — evidence of the renowned Saxon Axis, should be lavished with particular care by the hosts of our city. It should be restored to its past glamour, which has been lately forlorn but which — in all its various aspects — is claimed not only by a general vox populi: historians, planners, biologists and all the city-lovers, but also by a common sense. Ecological!

The fortunate conclusion to my loose remarks and thoughts will be provided by some wise words uttered upon the Stanislas' Warsaw by one of the Polish 18th century writers, Franciszek Salezy Jezierski. „This town should be referred to twofold — he wrote around 1790, during the fullest bloom of the contemporary Warsaw — once to what extent it is a city, and secondly, to what extent it is yet to be, for afterwards".

Well, seeing Warsaw today, wrecked for so many times and hampered in its natural growth by invaders and aggresors, we should always bear it in mind that this town has not been „completed" in a way, until now. And that is why we must do that much for it in the nearest future, so that „afterwards" we will limit ourselves to the care of its future, solely natural growth.

Juliusz Wiktor Gomulicki
translated by Zbigniew M. Jankowski

1. Plac Zamkowy z kolumną Zygmunta — widok od strony Podwala i mostu gotyckiego; w głębi Dzwonnica i kościół Świętej Anny
1. Castle Square with the Sigismund's Column — a view from Podwale Street and Ghotic Bridge; in the distance Belfry and the St Anne's Church

2. Kolumna Zygmunta na tle fragmentu Starego Miasta z Bazyliką Archikatedralną Świętego Jana i wieżą kościoła Jezuitów (Najświętszej Maryi Panny Łaskawej)
2. Sigismund's Column against a background of the Old Town fragment with the St John's Basilica and the tower of the Gracious Mary's Church (Jesuits' Church)

3. Nawa główna Bazyliki Archikatedralnej
3. Central nave of the St John's Basilica

4. Widok kolumny Zygmunta i Zamku Królewskiego od strony Krakowskiego Przedmieścia
4. View of the Sigismund's Column from Krakowskie Przedmieście Street

5. Fragment Starego Miasta od ulicy Rycerskiej
5. Fragment of the Old Town from Rycerska Street

6. Kandelabr na tle wieży Zegarowej (Zygmuntowskiej) Zamku Królewskiego
6. A street lamp against a background of the Royal Castle's Clock Tower (the Sigismund's Tower)

7. Pomnik Małego Powstańca przy murze obronnym Starego Miasta
7. Little Insurgent statue by the Old Town Wall

8. Tablica pamiątkowa Canaletta na murze obronnym
8. The commemorating plate to Canaletto on the Old Town Wall

9. Fragment murów obronnych między placem Zamkowym a ulicą Piekarską
9. Fragment of the Old Town Walls between Castle Square and Piekarska Street

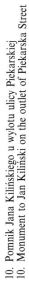

10. Pomnik Jana Kilińskiego u wylotu ulicy Piekarskiej
10. Monument to Jan Kiliński on the outlet of Piekarska Street

11. Kamienica przy ulicy Piekarskiej 20
11. An apartment house in Piekarska Street 20

12. Ulica Wąski Dunaj
12. Wąski Dunaj Street

13. Ulica Szeroki Dunaj na Starym Mieście
13. Szeroki Dunaj Street in the Old Town

14. Barbakan z widokiem wież i frontonu kościoła Paulinów (Świętego Ducha) oraz wieży kościoła Dominikanów (Świętego Jacka) od strony Rynku Starego Miasta
14. Barbican with a view of towers and fronton of the Holy Ghost's Church (Paulists') and a tower of St Jack's Church (Dominicans' Church)

16. Kościół i klasztor Sakramentek przy Rynku Nowego Miasta
16. Holy Sacrament Order's Church and Nunnery by the New Town Market Square

15. Widok kościoła Paulinów z ulicy Freta
15. Paulists' Church — a view from Freta Street

17. Kościół Nawiedzenia Najświętszej Maryi Panny z gotycką wieżą przy ulicy Przyrynek
17. St Mary the Virgin's Visitation Church with the Ghotic tower in Przyrynek Street

18. Jarmark przy Barbakanie
18. The fair by the Barbican

19. Staromiejska Syrenka (herbowa)
19. The Mermaid (an arms of Warsaw)

20. Wylot ulicy Krzywe Koło na Rynek Starego Miasta
20. Outlet of Krzywe Koło Street into the Old Town Market Square

21. Rynek Starego Miasta z częścią pierzei wschodniej, zwanej stroną Barssa
21. Old Town Market Square with the eastern part of a frontage, so-called the Barss' Side

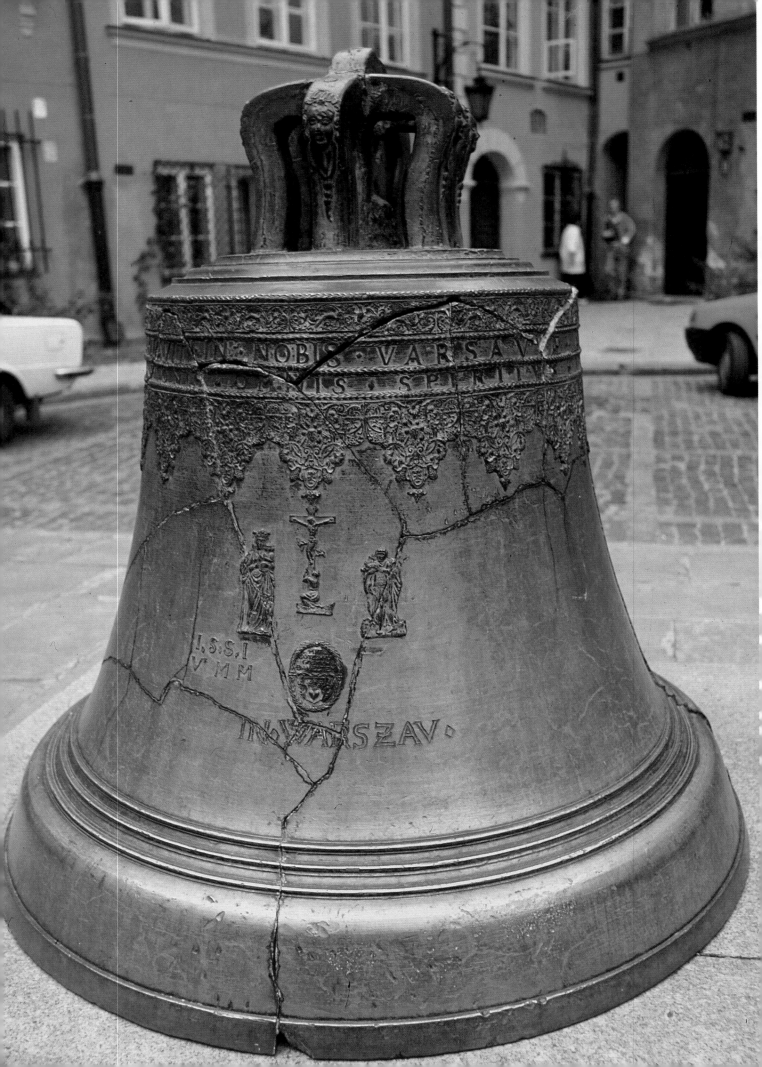

22. Pęknięty dzwon z XVII wieku na placyku Kanonii
22. A cracked seventeenth-century bell in the tiny Kanonia Square

23. Widok Rynku Starego Miasta z ulicy Krzywe Koło
23. View of the Old Town Market Square from Krzywe Koło Street

24. Pałac Pod Blachą od strony dziedzińca
24. Palace Pod Blachą from a courtyard

25. Zabudowa lewej strony ulicy Bednarskiej przed skrzyżowaniem z Dobrą
25. Buildings on the left side of Bednarska Street before crossing with Dobra Street

26. Kamienica u zbiegu ulic Bednarskiej i Sowiej na Mariensztacie
26. An apartment house by crossing of Bednarska and Sowia Streets in Mariensztat

27. Egzotyczny korowód przed Zamkiem Królewskim
27. An exotic procession in front of the Royal Castle

28. Zamek Królewski — Dawna Izba Poselska na parterze Dworu Większego
28. Royal Castle — the former Deputies' Chamber on the ground floor of the Dwór Większy (Curia Maior) ▲

29. Sala Canaletta na piętrze Zamku
29. Canaletto's Room on the Royal Castle's second floor ▲

30. Kaplica Stanisława Augusta
30. Chapel of the King Stanislas Augustus ▲

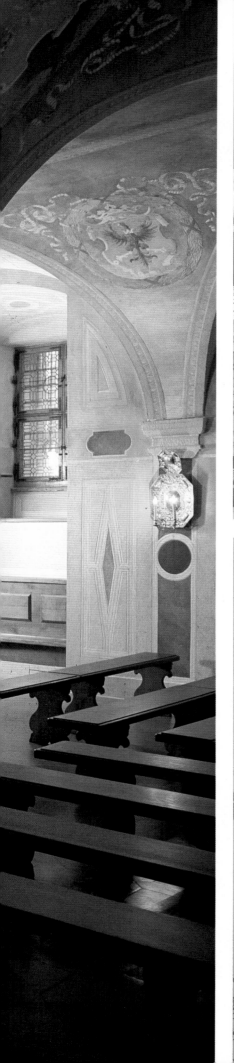

31. Sala Senatorska
31. Senate Chamber

32. Sala Audiencjonalna Dawna
32. The former Audience Chamber

33. Porcelanowy blat stolika w gabinecie Konferencyjnym, ozdobiony sceną z historii Telemacha
33. A porcelain table-top decorated with a scene from the history of Telemachus

34. Gabinet Konferencyjny
34. Conference Cabinet

35. Gabinet i Garderoba króla
35. King's Cabinet and the Dressing Room

36. Pokój Marmurowy
36. The Marble Room

37. Choinka przed Zamkiem Królewskim
37. A Christmas tree in front of the Royal Castle

38. Kolumna Zygmunta na placu Zamkowym nocą
38. Sigismund's Column and Castle Square by night

39. Dorożka na placu Zamkowym nocą
39. A hackney in Castle Square by night

40. Tunel Trasy W-Z
40. Tunnel of the W-Z Route

41. Wylot Trasy W-Z na most Śląsko-Dąbrowski
41. W-Z Route outlet onto Śląsko-Dąbrowski Bridge ▶

42. Na Krakowskim Przedmieściu
42. In Krakowskie Przedmieście Street

◄ 43. Rzeźba w niszy fasady kościoła Świętej Anny
43. A statue in a niche of the St Anne's Church façade

◄ 44. Fasada kościoła Świętej Anny
44. Façade of the St Anne's Churche

45. Widok prezbiterium kościoła Świętej Anny
45. View of the St Anne's Church presbytery

46. Chór
46. The choir

47. Pomnik Adama Mickiewicza
47. Monument to Adam Mickiewicz

48. Dziekanka przy Krakowskim Przedmieściu 56
48. Deanery in Krakowskie Przedmieście Street 56

◄ 49. Kościół Karmelitów
49. Carmelits' Church

◄ 50. Pomnik księcia Józefa Poniatowskiego z fragmentem kościoła Karmelitów w tle
50. Monument to Prince Józef Poniatowski with a fragment of Carmelits Church

◄ 51. Hotel Europejski
51. Europejski Hotel

◄ 52. Hotel Europejski nocą
52. Europejski Hotel by night

53. Pomnik prymasa Polski, kardynała Wyszyńskiego
53. Monument to Stefan Wyszyński. the Primate of Poland

▼ 54. Nawa główna kościoła Wizytek
54. Nuns of the Visitation's Church — the main nave

▼ 55. Kościół Wizytek
55. Nuns of the Visitation's Church

56. Giganty (pilastry hermowe) wspierające balkon gmachu biblioteki uniwersyteckiej
56. Giants (hermae pilasters) supporting a balcony of the University Library's building

SOCIETAS
SCIENTIARVM VARSAVIENSIS

57. Główne wejście na teren Uniwersytetu Warszawskiego
57. The main entrance into the Warsaw University courtyard

58. Pałac Staszica
58. Staszic's Palace

MIKOŁAJOWI KOPERNIKOWI

59. Pomnik Mikołaja Kopernika przed pałacem Staszica
59. Monument to Mikołaj Kopernik in front of the Staszic's Palace

SVRSVM CORDA

60. Fasada kościoła Świętego Krzyża z figurą Chrystusa
60. Façade of the St Cross Church with the statue of Christ

61. Figura Chrystusa przed kościołem Świętego Krzyża przy Krakowskim Przedmieściu
61. Statue of Christ in front of St Cross Church in Krakowskie Przedmieście Street

62. Wnętrze kościoła Świętego Krzyża
62. Interior of the St Cross Church

63. Kamienica u zbiegu ulicy Książęcej z Nowym Światem
63. An apartment house by crossing of Książęca and Nowy Świat Streets

64. Plac Trzech Krzyży — widok zza figury św. Jana Nepomucena
64. Trzy Krzyże Square — a view from behind of the St John Nepomucen's statue

65. Elewacja frontowa kościoła Świętego Aleksandra
65. Frontal elevation of the St Alexander's Church

66. Giganty podtrzymujące balkon nad wejściem do kamienicy przy Alejach Ujazdowskich 24
66. Giants supporting a balcony over the entrance to an apartment house in Ujazdowskie Avenues 24

67. Popiersie giganta
67. A giant's bust

68. Gmach Sejmu przy ulicy Wiejskiej
68. Building of Sejm (Polish Parliament) in Wiejska Street ▶

69. Widok Zamku Ujazdowskiego od strony wschodniej
69. Ujazdowski Castle — a view from the eastern side

70. W parku Ujazdowskim
70. In the Ujazdowski Park

71. Rzeźba parkowa *Ewa*
71. A park statue *Eva*

72. Pomnik Ignacego Jana Paderewskiego
72. Monument to Ignacy Jan Paderewski

73. Widok pałacu Na Wyspie od strony parku
73. Palace Na Wyspie — a view from the park

74. Elewacja południowa pałacu Na Wyspie
74. South elevation of the Palace Na Wyspie

75. Przedsionek pałacu Na Wyspie — rzeźba *Mars odpoczywający*
75. Vestibule of the Palace Na Wyspie — a statue of resting Mars

76. Rzeźba *Polska rozkwitająca*
76. A sculpture *Flourishing Poland*

77. Sala Salomona — fragment z przejściem do Rotundy
77. Solomon's Room — a fragment with the passage to Rotunda

78. Rotunda
78. Rotunda

82. Sala Balowa
82. Ball Room

83. Fragment malowideł ściennych Jana Bogumiła Plerscha w sali Balowej
83. Fragment of mural paintings by Jan Bogumił Plersch in the Ball Room

84. Galeria obrazów
84. Picture Gallery

85. Sypialnia królewska na piętrze pałacu Na Wyspie
85. King's Bedroom on the second floor of the Palace Na Wyspie

86. Ubieralnia króla
86. King's Dressing-room

87. Pokój Balkonowy
87. Balcony Room

88. Gabinet króla
88. King's Cabinet

89. Amfilada pokojów północnych na piętrze
89. Northern rooms — a suite on the second floor

90. Widok galerii kolumnowej pałacu Na Wyspie od strony parku
90. Column-gallery of the Palace Na Wyspie — a view from the park

91. Fragment rzeźby przed pałacem symbolizującej Wisłę
91. Fragment of a sculpture symbolizing the Vistula River in front of the Palace

92. Scena Amfiteatru w parku Łazienkowskim
92. Stage of the Amphitheatre in the Łazienkowski Park

93. Widownia Amfiteatru
93. Amphitheatre auditorium

94. Pałac Myślewicki
94. Myślewicki Palace

95. Stara Kordegarda
95. Old Guardhouse

98. Tapeta chińska w Bawialni
98. Chinese wall-paper in the Parlour
99. Bawialnia — ściany z tapetami chińskimi
99. Parlour — walls with the Chinese wall-papers

100. Fragment Jadalni z antyczną rzeźbą Afrodyty
100. Fragment of the Dining Room with an ancient statue of Aphrodite

103. Most Sobieskiego w parku Łazienkowskim
103. King Jan Sobieski's Bridge in the Łazienkowski Park

104. Pomnik króla Jana III Sobieskiego
104. Monument to the King Jan III Sobieski

108. Pomnik Chopina
108. Monument to Fryderyk Chopin

109. W parku Łazienkowskim
109. In the Łazienkowski Park

110. Belweder
110. Belvedere Palace

111. Sala Malinowa
111. Raspberry Room

112. Sala Zielona
112. Green Room

113. Sala Pompejańska
113. Pompeian Room

116. Jedna z urn z prochami poległych
116. One of the funeral urns of those killed in action

117. Żołnierz na warcie przy Grobie Nieznanego Żołnierza
117. A soldier on guard of honour by the Unknown Soldier's Tomb

119 - 120. Sadzawka w Ogrodzie Saskim
119 - 120. A pond in the Ogród Saski

121. Rzeźba parkowa *Twórczość* w Ogrodzie Saskim
121. *Creativity* — a park sculpture in the Ogród Saski

122. Rzeźba *Muzyka*
122. *Music* — another park sculpture

123. Fragment gmachu Teatru Wielkiego
123. Fragment of the Grand Theatre building

124. Pałac Komisji Rządowej Przychodów i Skarbu, od nazwiska projektanta zwany potocznie pałacem Corazziego (obecnie siedziba władz miasta stołecznego i województwa), przy placu Bankowym
124. Palace of the Government Profits and Treasury Committee, so-called the Corazzi Palace from the name of its designer, in Bankowy Square (now the seat of the capital and province authoritis)

125. Gmach dawnej Giełdy i pierwszego Banku Polskiego — obecnie siedziba Galerii Porczyńskich — u zbiegu placu Bankowego z ulicą Elektoralną
125. Building of the former Stock-Exchange and the first Polish Bank by the crossing of Bankowy Square and Elektoralna Street (now the seat of the Porczyńskis Gallery)

126. Gmach Zachęty przy placu Stanisława Małachowskiego
126. Building of the Zachęta Gallery in Stanisław Małachowski Square

127. Pałac Mostowskich (obecnie siedziba Komendy Głównej Policji) przy ulicy Władysława Andersa
127. The Mostowskis Palace in Władysław Anders Street (now the Headquarters of the Police)

128. Górna część fasady i fronton pałacu Krasińskich przy placu Krasińskich
128. Upper part of the façade and fronton of the Krasińskis Palace in the Krasińskis Square

129. Wiadukt nad Alejami Jerozolimskimi i zabudowa wokół Dworca Centralnego
129. Viaduct over Jerozolimskie Avenues and buildings around the Central Railway Station

130. Holiday Inn — elewacja frontowa
130. Frontal elevation of the Holiday Inn

131. Przeszklony fragment elewacji frontowej Holiday Inn
131. A glazed fragment of the frontal elevation of the Holiday Inn

132. Fragment skrzydła hotelu
132. Fragment of the hotel's wing

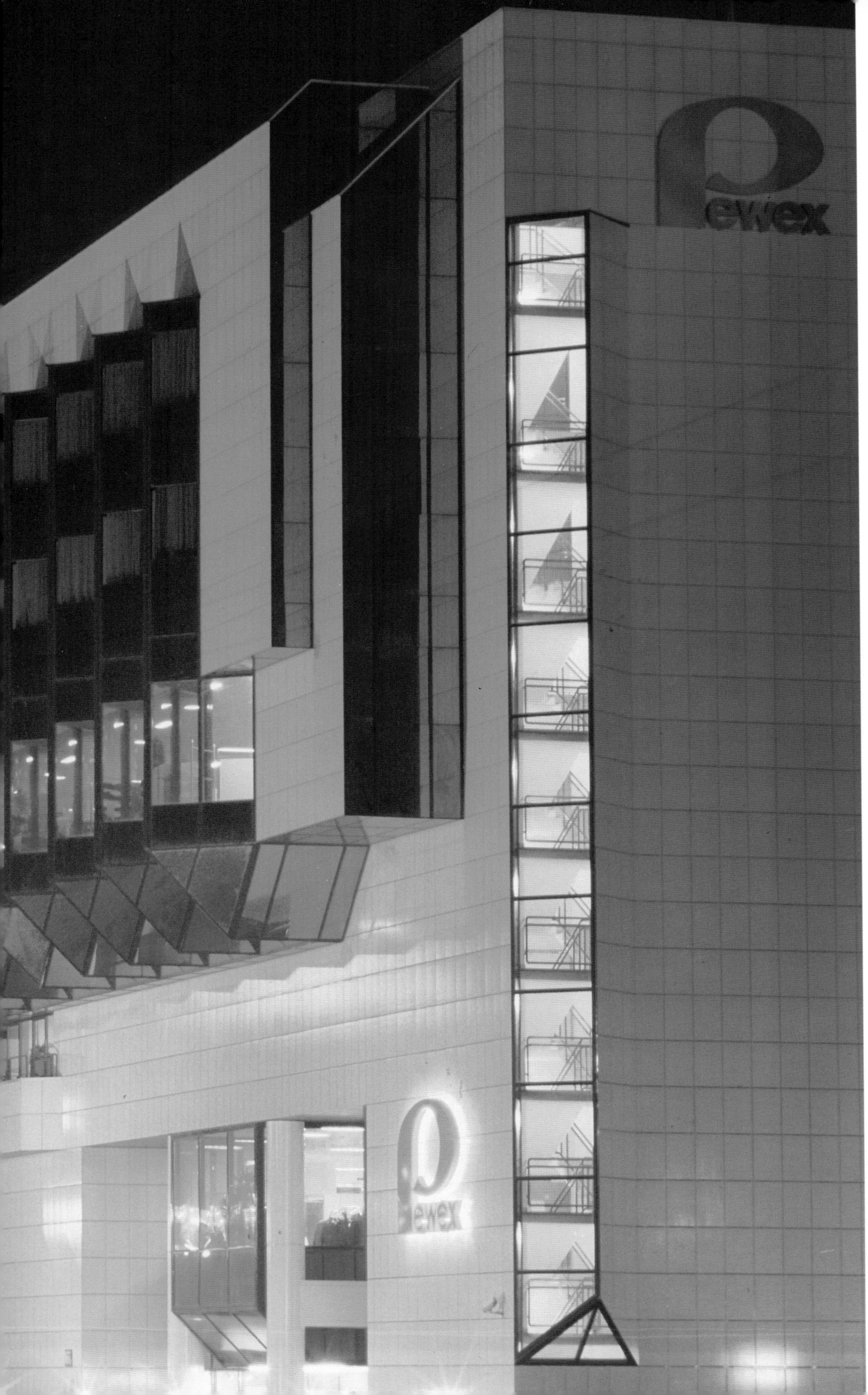

133. Holiday Inn nocą
133. Holiday Inn by night

134 - 135. Biurowiec Intraco II przy ulicy Tytusa Chałubińskiego
134 - 135. Office building Intraco II in Tytus Chałubiński Street

136. Hotel Marriott od strony ulicy Tytusa Chałubińskiego
136. Marriott Hotel seen from Tytus Chałubiński Street

137. Widok wiaduktu nad Alejami Jerozolimskimi i ulicy Jana Pawła II
137. View of the viaduct over Jerozolimskie Avenues and John Paul II Street

138. Kościół Świętych Apostołów Piotra i Pawła z gmachem Centrali Telekomunikacji Międzymiastowej i hotelem Forum w tle
138. St Apostles Peter and Paul's Church with a building of the Head Office of Trunk Telecommunication and the Forum Hotel in the distance

139. Pałac Kultury i Nauki od ulicy Emilii Plater
139. Culture and Science Palace seen from Emilia Plater Street

140. Widok elewacji frontowej pałacu od strony Alej Jerozolimskich
140. Frontal elevation of the Culture and Science Palace seen from Jerozolimskie Avenues

141. Fontanna przed pałacem
141. Fountain in front of the Palace

142. Tzw. Ściana Wschodnia przy ulicy Marszałkowskiej nocą
142. So-called the East Wall of Marszałkowska Street by night

143. Korpus główny Pałacu Kultury i Nauki
143. The main body of the Culture and Science Palace

144. Rotunda PKO przy rondzie na skrzyżowaniu ulicy Marszałkowskiej z Alejami Jerozolimskimi nocą
144. Rotunda of the National Savings Bank by the crossing of Jerozolimskie Avenues and Marszałkowska Street by night

146. Fragment muru obok hotelu Forum, upamiętniający miejsce rozstrzelania stu dwóch Polaków przez hitlerowców 28 stycznia 1944 roku

45. Reklamy w sąsiedztwie hotelu Forum
45. Advertisements in vicinity of the Forum Hotel

146. Fragment of the wall beside the Forum Hotel, commemorating place of execution of 102 Poles by Nazi on 28 January 1944

147. Wiadukt na Solcu — naziemna część mostu księcia Józefa Poniatowskiego
147. Viaduct at Solec — a part of Prince Józef Poniatowski Bridge

148. Na moście
148. On the Bridge

149. Fragment dziedzińca i gmachu Muzeum Wojska Polskiego przy Alejach Jerozolimskich
149. Fragment of the courtyard and building of the Polish Army Museum in Jerozolimskie Avenues

150. Komora wodna, zwana domem Pod Kolumnami, przy ulicy Karola Wójcika na Pradze
150. Water chamber, so-called the House Under Columns, in Karol Wójcik Street at Praga District

151. Kościół Świętego Floriana na placu Weteranów 1863 roku
151. St Florian's Church in Veterans'1863 Square

152. Widok Nowego Miasta z mostu Gdańskiego
152. View of the New Town from Gdański Bridge

153 - 154. Biurowiec przy placu Bankowym
153 - 154. Office building in Bankowy Square ▶

155. Fasada gmachu głównego Politechniki Warszawskiej
155. Façade of the Warsaw Technical University's main building

156. Fronton gmachu głównego Politechniki
156. Fronton of the Warsaw Technical University's main building

POLITECHNIKA

157. Fragment fasady z datą w ornamencie, upamiętniającą początek budowy gmachu głównego
157. Fragment of the façade with the ornamented date commemorating erection of the main building

162. Fragment zasieków z dawnego muru okalającego Pawiak
162. Fragment of the entanglement from the not existing nowadays walls surrounding the Pawiak

163. Prześwit w murze-pomniku Pawiaka ▶
163. A hole in the wall-monument of the Pawiak ▶

164. Symboliczny nagrobek więźniów Pawiaka
164. Symbolic tomb for prisoners of the Pawiak ▶

165. Zachowana po zburzonym więzieniu brama Pawiaka nocą
165. Remains of the destroyed prison — the gate of the Pawiak by night

66. Brama Straceń w Cytadeli
66. Gate of Executions in the Cytadela

167. Wewnątrz murów Cytadeli
167. Inside the Cytadela walls

168. Pomnik Bohaterów Getta Warszawskiego
168. Monument to Heroes of Warsaw Ghetto

169. Fragment płaskorzeźby
169. Fragment of the bas-relief

170. Pomnik męczeństwa i walki Żydów w getcie, wzniesiony na miejscu Umschlagplatzu
170. Monument of martyroom and combat to Jews in Ghetto, erected in the place of Umschlagplatz

171. Fragment pomnika Powstania Warszawskiego 1944
171. Fragment of the Warsaw Isurrection 1944 monument

172 - 173. Fragmenty pomnika Powstania Warszawskiego
172 - 173. Fragments of the Warsaw Insurrection monument

174 - 176. Fragmenty pomnika Powstania Warszawskiego nocą
174 - 176. Fragments of the Warsaw Insurrection monument ▶

177 - 179. Nagrobki na cmentarzu Powązkowskim
177 - 179. Tombstones at the Powązkowski Cemetery

180. Fragment cmentarza Ewangelickiego przy ulicy Młynarskiej
180. Fragment of Evangelic Cemetery in Młynarska Street

181. Fragment starej części cmentarza Żydowskiego przy ulicy Okopowej
181. Fragment of the old part of the Jewish Cemetery in Okopowa Street

182. Nagrobki na cmentarzu Żydowskim
182. Tombstones at the Jewish Cemetery

183. Pomnik Janusza Korczaka na cmentarzu Żydowskim
183. Monument to Janusz Korczak at the Jewish Cemetery

184. Fragment pałacu Wilanowskiego od frontu nocą
184. Front of the Wilanowski Palace by night

185. Fasada głównego korpusu pałacu Wilanowskiego
185. Façade of the main body of the Wilanowski Palace

186. Fronton
186. Fronton

187. *Famy*, płaskorzeźba nad wejściem głównym do pałacu
187. *Fames* — the bas-relief over the main entrance into the Palace

188. Medalion *Virtus heroica* i płaskorzeźba *Tryumf Jana III* nad portalem galerii południowej pałacu
188. Medallion *Virtus heroica* and the bas-relief *Triumph of Jan III* over a portal of the southern gallery of the Palace

189. Fragment elewacji galerii południowej
189. Fragment of the elevation of the southern gallery

190. Górna część z hełmem wieży pałacowej
190. Upper part of the palace tower

191. Pomnik Jana III Sobieskiego, zdobiący ongiś Wielką Sień pałacu Wilanowskiego, dziś — w wieży południowej
191. Monument to Jan III Sobieski, in his days decorating the Grand Vestibule of the Wilanowski Palace (now in the southern tower)

192. Plafon *Lato* w pokoju Sypialnym króla
192. A plafond *Summer* in the King's Bedroom

193. Pokój Sypialny króla
193. King's Bedroom

194. Antykamera króla
194. King's Antechamber

196. Plafon *Wiosna* w pokoju Sypialnym królowej
196. A plafond *Spring* in the Queen's Bedroom

197. Pokój Sypialny królowej
197. Queen's Bedroom

198. Antykamera królowej
198. Queen's Antechamber

199. Plafon *Jutrzenka* w Gabinecie królowej, zwanym Zwierciadlanym w pałacu Wilanowskim
199. A plafond *Aurora* in the Queen's Cabinet, so-called the Mirror Room

200. Gabinet królowej al fresco malowany w pałacu Wilanowskim
200. Queen's Cabinet Al Fresco in the Wilanowski Palace

201. Gabinet przed galerią pałacu Wilanowskiego
201. Cabinet neighboring with the gallery of the Wilanowski Palace

202. Wnętrze galerii północnej pałacu
202. Interior of the palace northern gallery

203. Pokój Wielki Karmazynowy
203. Grand Crimson Room

204. Pokój Karmazynowy, zwany Galerią Karmazynową
204. Crimson Room, so-called the Crimson Gallery

206. Apartament gościnny na parterze
206. Guest-room on the ground floor

205. Pokój Cichy na piętrze pałacu
205. Quiet Room on the second floor of the Palace

207. Elewacja frontowa głównego korpusu pałacu Wilanowskiego
207. Frontal elevation of the main body of the Wilanowski Palace

208. Fragment pałacu Wilanowskiego od ogrodu nocą
208. Fragment of the Wilanowski Palace seen from the garden by night

X - XI w. — istnienie grodu na terenie późniejszego Bródna Starego; rozległe podgrodzie skupiało ludność rolniczą i rzemieślniczą; w poł. XI w. gród spłonął i nie został odbudowany

XI - XII w. — powstanie osad po obu stronach Wisły; Targowe, Kamion (tu przeprawa przez Wisłę) na prawym brzegu oraz Solec i Jazdów na lewym brzegu rzeki

1262 — pierwsza wzmianka o Jazdowie, książęcym grodzie położonym na terenie obecnego Ogrodu Botanicznego; 23 VI w tym samym roku gród został spalony przez wojska litewskie i ruskie; odbudowany przez księcia Bolesława, Jazdów został ponownie zniszczony przez jego brata, księcia Konrada, w 1281

1281 - 1294 — książę Konrad (zm. 1294) rozpoczyna budowę nowego grodu, położonego w miejscu dzisiejszego Zamku Królewskiego; nieco dalej na północ lokuje miasto na prawie chełmińskim — Warszawę

Początek XIX w. — budowa kościoła farnego pod wezwaniem Świętego Jana Chrzciciela (dziś — Bazylika Archikatedralna)

1313 — pierwsza wzmianka o Warszawie jako głównym mieście dzielnicy księcia Siemowita II, tytułującego się jako „Książę Mazowsza, Pan Warszawski"

1321 — pierwsza wzmianka o kasztelanie warszawskim

1334 — pierwsza wzmianka o dziedzicznym urzędzie wójta

Przed 1338 — budowa wału obronnego umocnionego kilkoma wieżami

1339 — Warszawa, jako miasto leżące na terenie niezależnego Księstwa Mazowieckiego, miejscem sądu papieskiego, mającego rozstrzygnąć proces między Królestwem Polskim a Zakonem Krzyżackim

1356 — osiedlenie się pierwszego konwentu, należącego do zakonu augustianów

1376 — pierwsza wzmianka o istnieniu rady miejskiej

1379 — początek wieloletniej pracy nad wzmocnieniem murów miejskich oraz dokończeniem ich budowy, tj. zamknięciem ich okręgu od strony Wisły
— w wyniku podziału Mazowsza przez Siemowita III Warszawa staje się częścią księstwa czerskiego

1398 - 1406 — przeniesienie z Czerska kapituły św. Piotra i osadzenie jej w kościele Świętego Jana, teraz kolegiaty; w wyniku tych przekształceń Warszawa staje się siedzibą archidiakonatu

1408 - 1414 — początek wyodrębniania się Nowego Miasta z własnym samorządem (1414) i parafią (1411, kościół Nawiedzenia NMP). Nowe Miasto nazywa się od tego momentu Nowa Warszawa

Przełom XIV - XV w. — Warszawa dystansuje Czersk i staje się głównym miastem wschodniego Mazowsza

1526 — śmierć Janusza III, ostatniego księcia mazowieckiego z dynastii Piastów, w związku z czym następuje inkorporacja reszty Mazowsza wraz z Warszawą do Królestwa Polskiego

1529 — pierwszy sejm koronny w Warszawie

1546 — ukończenie budowy Barbakanu przed bramą Nowomiejską wg projektu weneckiego architekta, Giovanniego Battisty

1569 — w wyniku postanowień unii lubelskiej Warszawa staje się miejscem sejmów walnych koronnych
— od końca roku aż do połowy 1572 rezyduje Zygmunt August, uciekając przed epidemią; rozbudowa Zamku

1573 — Kamion na Pradze miejscem pierwszej elekcji — królem Rzeczypospolitej zostaje książę francuski, Henryk Walezy
— oddanie do użytku pierwszego stałego mostu wg projektu Erazma z Zakroczymia; drewniana konstrukcja zawaliła się w 1603

1578 — pierwsze świeckie przedstawienie: *Odprawa posłów greckich* Jana Kochanowskiego odegrana w Jazdowie przed dworem królowej Anny
— publikacja pierwszych druków, wydanych przez przenośną drukarnię Walentego Łapki-Łapczyńskiego

1596 — przeniesienie rezydencji królewskiej ze spalonego Wawelu do Warszawy, gdzie król Zygmunt III Waza podejmuje przebudowę Zamku króla Zygmunta Augusta

1606 - 1619 — budowa Zamku królewskiego w Ujazdowie wg projektu włoskiego architekta, Giovanniego Trevano

1612 — hołd pruski w Warszawie

1617 — powstanie pierwszej jurydyki, tj. obszaru prywatnego, wyłączonego spod jurysdykcji władz miejskich; była to tzw. Dziekanka

1621 - 1624 — otoczenie miasta i przedmieść ziemnymi umocnieniami bastionowymi

1624 — założenie pierwszej stałej oficyny drukarskiej przez Jana Rossowskiego

1624 - 1626 — wielka zaraza, która pochłonęła ok. 10 procent ludności Warszawy

1634 — ukończenie budowy Pałacu Kazimierzowskiego (dziś — siedziba władz Uniwersytetu Warszawskiego)

1638 - 1643 — budowa Arsenału (składnicy broni) z inicjatywy króla Władysława IV

1643 — powstanie pierwszego książkowego przewodnika po Warszawie, *Gościńca* Adama Jarzębskiego

1644 — ustawienie przed Bramą Krakowską kolumny Zygmunta III

1647 — powołanie pierwszego urzędu pocztowego

1648 — nadanie Pradze prawa miejskiego

1655 - 1657 — zniszczenie i złupienie miasta przez wojska szwedzkie w czasie tzw. Potopu; liczba mieszkańców spada z 20 do 6 tysięcy

1661 — przeniesienie z Krakowa do Warszawy redakcji pierwszej gazety polskiej, „Merkuryjusza Polskiego Ordynaryjnego", która wychodziła tu od 14 V do 22 VII

II poł. XVII w. — budowa licznych rezydencji magnackich, jak pałac Krasińskich (1677-1682) czy pałac Gnińskich (Ostrogskich, (1681-1685) na Tamce; projektantem obu był holenderski architekt, Tylman z Gameren

1679 - 1696 — budowa i rozbudowa pałacu w Wilanowie, rezydencji króla Jana III Sobieskiego i jego rodziny

1688 - 1692 — budowa kościoła Sakramentek na Nowym Mieście wg projektu Tylmana z Gameren

1701 - 1709 — II wojna północna — liczne przemarsze wojsk szwedzkich i saskich, połączone z okupacją i plądrowaniem miasta

1713 — początek budowy Osi Saskiej (prostopadłej do Krakowskiego Przedmieścia), wielkiej inwestycji króla Augusta II: pałacu Saskiego, wielkiego dziedzińca honorowego i Ogrodu Saskiego

1727 — udostępnienie Ogrodu Saskiego mieszkańcom miasta

1727 - 1734 — budowa kościoła Wizytek na Krakowskim Przedmieściu wg projektu Karola Baya; fasadę i wyposażenie wnętrza ukończono w latach 1754-1762 wg projektu Efraima Schroegera

1729 — powstanie pierwszego stałego pisma warszawskiego — „Kuriera Polskiego"

1740 — powstanie z inicjatywy pijara, Stanisława Konarskiego, Collegium Nobilium, szkoły z nowoczesnym programem nauczania dla synów szlacheckich

1742 - 1766 — porządkowanie i rozbudowa miasta przez marszałka wielkiego koronnego, Franciszka Bielińskiego, m.in. wytyczenie głównej arterii komunikacyjnej Warszawy, ulicy Marszałkowskiej

1747 — otwarcie dla publiczności Biblioteki Załuskich

1754 - 1757 — zakończenie budowy kompleksu Szpitala Dzieciątka Jezus

1764 - 1795 — unowocześnienie stolicy — jej przebudowa i rozbudowa za panowania króla Stanisława Augusta — m.in. wytyczenie placów Na Rozdrożu i Zbawiciela oraz Rynku mokotowskiego (dziś — plac Unii Lubelskiej)

— budowa kompleksu parkowo-pałacowego w Łazienkach: Białego Domku (1774-1777), Wodozbioru (1774-1778), pałacu Na Wyspie (1775-1795), pałacu Myślewickiego (1775-1779), Wielkiej Oficyny (1777-1778), Starej Pomarańczarni (1786-1788), Amfiteatru (1790) i Starej Kordegardy (1793-1794); w pracach tych udział brali wybitni artyści: Dominik Merlini, Marcello Bacciarelli, Andrzej Le Brun, Jakub Monaldi i Tomasso Righi

— przebudowa wnętrz Zamku Królewskiego

1765 — założenie Teatru Narodowego pod dyrekcją Wojciecha Bogusławskiego

1775 — otwarcie mostu sezonowego, funkcjonującego w ten sposób aż do wybudowania mostu Kierbedzia (1864)

1789 — tzw. Czarna Procesja — manifestacja przedstawicieli 141 miast królewskich, kierowana przez prezydenta Starej Warszawy, Jana Dekerta; demonstracja zwołana została w celu wsparcia obozu reform w jego walce o większe prawa dla miast (2 XII)

1791 — uchwalenie Konstytucji 3 Maja

1792 — założenie Cmentarza Powązkowskiego

1794 — Insurekcja Kościuszkowska w Warszawie, zapoczątkowana wyparciem garnizonu rosyjskiego (17 IV), a zakończona rzezią mieszkańców Pragi dokonaną przez wojska rosyjskie pod dowództwem Aleksandra Suworowa (4 XI) i ostateczną kapitulacją stolicy (5 XI)

1795 — III rozbiór Polski — Warszawa włączona do Królestwa Pruskiego

1800 — powstanie Towarzystwa Przyjaciół Nauk z inicjatywy Stanisława Sołtyka i Stanisława Staszica

1806 — zajęcie miasta przez wojska Napoleona (27 XI)

1807 — na mocy francusko-rosyjskiego pokoju w Tylży Warszawa staje się stolicą Księstwa Warszawskiego (9 VII)

1813 — zajęcie Warszawy przez wojska rosyjskie

1815 — na mocy postanowienia Kongresu Wiedeńskiego Warszawa zostaje stolicą uzależnionego od Rosji Królestwa Polskiego (20 VI)

1815 - 1830 — wyburzanie starych budowli w celu utworzenia dużych placów: Zamkowego (zburzenie Bramy Krakowskiej), Teatralnego (usunięcie Marywilu — centrum handlowego) i Bankowego (likwidacja oficyn pałacu Ogińskich)

1816 — powstanie Królewskiego Uniwersytetu Warszawskiego oraz Instytutu Agronomicznego

1818 — Warszawa stolicą nowej archidiecezji, obejmującej ówczesne Królestwo Polskie i Wolne Miasto Kraków

1818 - 1822 — budowa neoklasycystycznego Belwederu wg projektu Jakuba Kubickiego (od 1989 siedziba prezydenta Polski)

1820 - 1823 — budowa pałacu Staszica, siedziby Towarzystwa Przyjaciół Nauk, wg planów Antonia Corazziego

1821 — powstanie Konserwatorium

1824 - 1825 — przebudowa pałaców przy ul. Rymarskiej na gmach Komisji Rządowej Przychodów i Skarbu wg projektu Antonia Corazziego (dziś — siedziba władz miejskich przy placu Bankowym)

1825 - 1832 — budowa gmachu Teatru Wielkiego wg projektu Antonia Corazziego

1830 — wzniesienie przed pałacem Staszica pomnika Mikołaja Kopernika, dzieła duńskiego rzeźbiarza, Bertela Thorvaldsena

— wybuch Powstania Listopadowego (29 XI) — Warszawa główną siedzibą władz powstańczych)

1831 — zdobycie Warszawy przez wojska rosyjskie

1832 — odsłonięcie pomnika księcia Józefa Poniatowskiego wg projektu Bertela Thorvaldsena

1832 - 1834 — budowa Cytadeli, twierdzy i więzienia zarazem, której załoga miała stanowić zabezpieczenie przed kolejną próbą buntu Polaków

1844 — powstanie Szkoły Sztuk Pięknych

1845 - 1848 — budowa pierwszej linii kolejowej warszawsko-wiedeńskiej i dworca u zbiegu ul. Marszałkowskiej i Alej Jerozolimskich

1851 — uruchomienie portu rzecznego na Wiśle

1856 — powstanie gazowni miejskiej

1859 - 1864 — budowa stalowego mostu przez Wisłę wg projektu Stefana Kierbedzia, pierwszej stałej konstrukcji tego typu

1861 - 1862 — seria manifestacji patriotycznych, stłumionych przez władze rosyjskie

1862 — założenie Muzeum Sztuk Pięknych

— otwarcie Szkoły Głównej o programie uniwersyteckim; w 1869 przekształcona została w uniwersytet rosyjski

1862 - 1878 — rozbudowa sieci kolejowej — powstanie linii: petersburskiej (1862), terespolskiej (1867), obwodowej (1875) i nadwiślańskiej (1878)

1863 — wybuch Powstania Styczniowego (22 I) — Warszawa siedzibą Rządu Narodowego

1864 — stracenie na stokach Cytadeli dyktatora powstania, Romualda Traugutta, wraz z pięcioma dyrektorami wydziałów Rządu Narodowego

1865 — pierwsze tramwaje konne na ulicach miasta

1875 — uruchomienie mostu kolejowego przez Wisłę przy Cytadeli

1881 — budowa nowoczesnej sieci wodociągowo-kanalizacyjnej z inicjatywy prezydenta miasta, Rosjanina, Sokrata Starynkiewicza

— oddanie do użytku pierwszej linii telefonicznej, zbudowanej przez Towarzystwo Bella

1898 — odsłonięcie na Krakowskim Przedmieściu pomnika Adama Mickiewicza, dzieła Cypriana Godebskiego

1900 — otwarcie gmachu Towarzystwa Zachęty do Sztuk Pięknych, dziś zwanego Zachętą

1901 — ukończenie budowy gmachu głównego Politechniki Warszawskiej

1902	— otwarcie Filharmonii Warszawskiej, dziś — Filharmonia Narodowa
1903	— uruchomienie elektrowni miejskiej
1904 - 1913	— budowa mostu im. księcia Józefa Poniatowskiego
1905 - 1907	— na znak solidarności ze strajkującymi robotnikami w Rosji w Warszawie wybuchają liczne strajki, w tym wielki strajk studencki (I), oraz dochodzi do licznych antycarskich demonstracji; początek Rewolucji 1905, stłumionej ostatecznie przez władze rosyjskie
1907	— okresowe zniesienie cenzury oraz inauguracja działalności Towarzystwa Naukowego Warszawskiego
1908	— uruchomienie tramwajów elektrycznych
1913	— otwarcie Teatru Polskiego
1915 - 1918	— okupacja miasta przez wojska niemieckie (od 5 VIII)
	— wznowienie działalności Uniwersytetu Warszawskiego i Politechniki (15 XI 1915)
1918	— rozbrajanie żołnierzy na ulicach Warszawy (11 XI)
	— Warszawa stolicą odrodzonej Rzeczypospolitej Polskiej
	— utworzenie Szkoły Głównej Gospodarstwa Wiejskiego
1920	— pojawienie się pierwszych autobusów na ulicach miasta
1926	— zamach majowy Józefa Piłsudskiego — trzydniowe krwawe walki uliczne (12-15 V)
1927	— I konkurs pianistyczny im. Fryderyka Chopina
1928	— otwarcie Teatru Ateneum
1929	— ukończenie budowy gmachu parlamentu przy ul. Wiejskiej, wg projektu Kazimierza Skórewicza
1933	— otwarcie portu lotniczego na Okęciu
1934	— rozwiązanie Rady i Zarządu Miejskiego przez władze państwowe; Stefan Starzyński komisarycznym prezydentem Warszawy; początek wielkich inwestycji
1939	— wybuch II wojny światowej (1 IX) i pierwsze naloty na Warszawę
	— początek natarcia wojsk niemieckich na Warszawę (8 IX)
	— kapitulacja stolicy (28 IX)
	— dekretem Hitlera z 12 X Warszawa ustanowiona zostaje stolicą jednego z czterech (od 1941 — pięciu) dystryktów składających się na Generalne Gubernatorstwo, utworzone z części ziem polskich
	— pierwsza masakra ludności cywilnej w Wawrze (26-27 XII)
1940	— powołanie dekretem Władysława Sikorskiego (z V) Delegatury Rządu Na Kraj — podziemnego przedstawicielstwa rządu polskiego na emigracji z siedzibą w Warszawie
	— utworzenie getta o powierzchni 400 ha dla żydowskiej ludności Warszawy (XI)
1943	— powstanie w getcie, zakończone klęską i wywiezieniem ludności żydowskiej do obozów zagłady (19 IV-VII); cały obszar getta (ok. 12 procent powierzchni miasta) zostaje wyburzony przez hitlerowców
1944	— Powstanie Warszawskie, zduszone brutalnie przez wojska niemieckie (1 VIII-2 X); tragiczny exodus ludności polskiej
	— początek systematycznego niszczenia Warszawy przez wojska niemieckie (3 X), w wyniku którego miasto zostaje unicestwione w 84 procentach
1945	— wkroczenie wojsk polskich i radzieckich do lewobrzeżnej Warszawy
	— powołanie Biura Odbudowy Stolicy (BOS), które przygotowało generalny plan odbudowy i koordynowało jego realizację
1945 - 1952	— odbudowa większości miasta wraz ze Starówką
1946	— połączenie diecezji warszawskiej z archidiecezją gnieźnieńską przy zachowaniu samodzielności i odrębności obu
1947 - 1949	— budowa Trasy W-Z i mostu Śląsko-Dąbrowskiego
1955	— ukończenie budowy Pałacu Kultury i Nauki wg projektu radzieckiego architekta, Lwa Rudniewa
	— otwarcie Stadionu Dziesięciolecia, zbudowanego wg projektu Jerzego Hryniewieckiego
1956	— w konsekwencji czerwcowego protestu mieszkańców Poznania przeciwko systemowi stalinowskiemu — strajk w FSO na Żeraniu (X), wybór Władysława Gomułki na I sekretarza PZPR, początek częściowej liberalizacji życia politycznego i gospodarczego w Polsce
1962 - 1970	— budowa tzw. Ściany Wschodniej, wielkiego centrum handlowego, położonego przy ul. Marszałkowskiej, między Alejami Jerozolimskimi i ul. Świętokrzyską, wg projektu Zbigniewa Karpińskiego
1968	— kryzys polityczny będący wynikiem zawiedzionych nadziei społeczeństwa i poczucia zagrożenia władzy komunistycznej (I-III)
	— zdjęcie z afisza w Teatrze Narodowym *Dziadów* Adama Mickiewicza w reżyserii Kazimierza Dejmka
	— wiec studentów na Uniwersytecie Warszawskim, stłumiony przez bojówki służb bezpieczeństwa
	— liczne demonstracje uliczne
	— kampania antyinteligencka i antyżydowska, która zmusiła do emigracji ok. 25 tysięcy obywateli polskich pochodzenia żydowskiego
1971 - 1974	— budowa Trasy Łazienkowskiej o długości 14 kilometrów wraz z mostem przez Wisłę — kolejne połączenie Śródmieścia z Pragą
1971 - 1984	— odbudowa Zamku Królewskiego
1972 - 1975	— budowa 22-kilometrowej Wisłostrady, biegnącej po lewej stronie Wisły — połączenie Żoliborza z Ursynowem i Wilanowem
1973 - 1976	— budowa Dworca Centralnego
1976	— w odpowiedzi na represje władz wobec demonstrantów i robotników fabryk w Ursusie, Radomiu i Płocku powstaje Komitet Samoobrony Społecznej KOR, zalążek opozycji antykomunistycznej (23 IX)
1979	— pobyt papieża-Polaka, Jana Pawła II, w stolicy w ramach jego pierwszej pielgrzymki do Ojczyzny, uwieńczony odprawieniem mszy świętej na placu Zwycięstwa (dziś — plac Józefa Piłsudskiego) dla 250 tysięcy osób
1980	— strajk w hucie „Warszawa" na znak solidarności ze strajkującymi robotnikami Wybrzeża i Śląska przeciwko pogarszającej się sytuacji gospodarczej i politycznej kraju (VIII)
	— rejestracja NSZZ „Solidarność" przez Sąd Wojewódzki w Warszawie (24 X)
1981	— powołanie Wojskowej Rady Ocalenia Narodowego pod przewodnictwem gen. armii Wojciecha Jaruzelskiego i wprowadzenie stanu wojennego (13 XII)
1987	— odsłonięcie na Krakowskim Przedmieściu pomnika prymasa Polski, kardynała Stefana Wyszyńskiego
1988	— oddanie do użytku hotelu Marriott, najnowocześniejszego hotelu Warszawy

1989   — rozmowy Okrągłego Stołu, prowadzone w Urzędzie
Rady Ministrów przy Krakowskim Przedmieściu
przez działaczy NSZZ „Solidarność" i władze PRL
— początek demokratycznych przemian w Polsce
i Europie Środkowo-Wschodniej (6 II-5 IV 1989)

More important events in history of Warsaw

X - XI c. — the existence of a stronghold on the later Old Bródno area; an extensive borough concentrated farmers' and handicraftsmen's population; in the middle of XI c. the stronghold was burnt down and was not rebuilt

XI - XII c. — the rise of the settlements on the both banks of the Vistula River: Targowe, Kamion (the Vistula crossing in the second settlement) on the right bank and Solec and Jazdów on the left bank

1262 — the first reference to Jazdów, the prince's stronghold on the present Botanic Garden area; the stronghold was burnt down by Lithuanian and Ruthenian troops on 23 of June of the same year; rebuilt by Prince Boleslaus, the stronghold was destroyed for the second time by his brother, Prince Conrad, in 1281

1281 - 1294 — Prince Conrad (died 1294) begins building a new stronghold in the place of the present Royal Castle; he located a new town under German law, Warszowa, a bit to the north of the new stronghold

Begin of XIV c. — building of the parish St John's Church, now St John's Basilica

1313 — the first reference to Warsaw as a main town of the Prince Semovitus II called as a „Prince of Masovia, the Governor of Warsaw"

1321 — the first reference to the Castellan of Warsaw

1334 — the first reference to the chief hereditary official (wójt)

Before 1338 — building of the town ramparts fortified by a couple of towers

1339 — Warsaw as a town belonging to politically independent Masovia is appointed to place of the papal trial that was to settle a dispute between Kingdom of Poland and Teutonic Order

1356 — the settlement of the first convent, belonging to the Augustinian Order

1376 — the first reference to existence of the Town Council

1379 — the begin of the long-lasting work on enforcing of town walls and finishing up their building i.e. closing their circumference from the Vistula's side
— Warsaw becomes a part of Czersk's Principality as a result of partitioning Masovia by Semovitus III

1398 - 1406 — transfering of the St Peter's Chapter from Czersk to St John's Church, the Collegiate Church now in Warsaw; in consequence of these changes Warsaw becomes the archdeaconship's capital

1408 - 1414 — the separation of the new town with its own municipality (1414) and own parish (1411, St Mary the Virgin's Visitation Church); the new town calls New Warsaw since that time

Breakthrough of XIV/XV c. — Warsaw outdistances the capital Czersk and takes over its function of the East Masovia capital

1526 — the death of Janusz III, the last Masovian Prince of the Piasts' dynasty, causes Masovia and Warsaw incorporation to Kingdom of Poland

1529 — the first Sejm of Kingdom of Poland in Warsaw

1546 — termination of building of the Barbican in front of the New Town Gate after design of Venetian architect, Giovanni Battista

1569 — from the end of that year to the middle of 1572 King Sigismundus Augustus resides here running off from a pestilence; he builds up the castle

1573 — Warsaw becomes the place of General Sejms as a result of the Lublin Union's decisions
— Kamion in Praga (left bank part of Warsaw) is the place of the first free election — Henryk de Valois the King of the Kingdom of Poland and the Great Lithuanian Principality
— termination of building of the first steady bridge after design of Erazm of Zakroczym; the wooden construction has broken down in 1603

1578 — the first spectacle of lay character: *The Sending the Greek Delegates Away* by Jan Kochanowski, performed in the court of the Queen Anne
— publishing of the first printed works by Walenty Łapka-Łapczyński's removal printing office

1596 — transference of the royal residence from the burnt down Wawel to Warsaw where King Sigismund III Vasa undertakes reconstruction of Sigismundus Augustus' Castle

1606 - 1619 — building of the Royal Castle in Ujazdów after design of Italian architect, Giovanni Trevano

1612 — the Prussian homage paid by Prussian prince to Sigismund III Vasa

1617 — the rise of the first „jurydyka" - the private area within the town exempted from the town authority's jurisdiction; that „jurydyka" has been called „Dziekanka"

1621 - 1624 — surrounding of the town and its suburbs with earth bastion defences

1624 — foundation of the first regular printing house in Warsaw by Jan Rossowski

1624 - 1626 — a great plague which took nearly 10 percent Warsaw population

1634 — termination of building of Kazimierzowski Palace (now seat of Warsaw University authorities)

1638 - 1643 — building of the Arsenal (the weapon's depot) at the King Władysław IV suggestion

1643 — the rise of the first Warsaw guide-book under the title *Gościniec* written by a famous composer, Adam Jarzębski

1644 — the raise of the King Sigismund III Column in front of the Cracow Gate

1647 — the rise of the first post office

1648 — Praga obtains civic rights

1655 - 1657 — devastation and plunder of the town by Swedish army in time of so-called Swedish Flood; the drop from 20 to 6 thousand in number of inhabitants

1661 — moving from Cracow to Warsaw the seat of the editorial office of the first Polish newspaper that will be published from the 14th of May to 22th of July

2nd half of XVII c. — building of numerous magnate residences, such as the Krasińskis Palace (1677-1682) or the Gnińskis (Ostrogskis 1681-1685) Palace; Dutch architect, Tylman of Gameren, was designer both of them

1679 - 1696 — building and enlargement of the Wilanowski Palace, the residence of King Jan III Sobieski and his family

1688 - 1692 — building of the Holy Sacrament Order's Church at the New Town after Tylman of Gameren's design

1701 - 1709 — the Second Northern War — the numerous marchings of Saxon and Swedish troops combined with occupation and plunder of the city

1713	— building of Saxon Axis (square with Krakowskie Przedmieście Street), Saxon Palace, Great Honour Yard and the Ogród Saski — the great investment of King Augustus II
1727	— making of the Ogród Saski available to audience
1727 - 1734	— building of the Nuns of the Visitation's Church in Krakowskie Przedmieście Street after Karol Bay's design; the façade and the interior was finished in 1754-1762 after Efraim Schroeger's design
1729	— the rise of the first stead Warsaw newspaper „Kurier Polski"
1740	— establishing of the Collegium Nobilium, the school for magnates' sons with a progressive program of teaching, at Piarist Stanisław Konarski's suggestion
1742 - 1766	— arrangement and enlargement of the town on order of the Great Marshal of the Crown Franciszek Bieliński, a.o. the lay-out of Marszałkowska Street, the main communication artery of Warsaw, which took the name from its founder's official post
1747	— opening of Andrzej and Józef Załuski Library for a wider audience
1754 - 1757	— completion of building of the Infant Jesus Hospital
1764 - 1795	— modernization of the capital — its remodelling and enlargement under King Stanisław August Poniatowski, a.o. lay-out of the Na Rozdrożu and the Zbawiciela Squares and the Mokotowski Market Square (now the Unii Lubelskiej Square)
	— building of park-palace complex in Łazienki: the White House (1774-1777), the Reservoir (1774-1778), the Palace Na Wyspie (1775-1795), the Myślewicki Palace (1775-1779), the Great Outbuilding (1777-1778), the Old Orangery (1786-1788), the Amphitheatre (1790) and the Old Guardhouse (1793-1794). These works were performed by famous artists: Dominik Merlini, Marcello Bacciarelli, Andrzej Le Brun, Jakub Monaldi and Tomasso Righi
	— the remodelling of the Royal Castle chambers
1765	— establishing of the National Theatre conducted by Wojciech Bogusławski
1775	— opening of the season-bridge working till building of the Kierbedź Bridge (1864)
1789	— so-called The Black Procession — the manifestation by 141 royal town deputies led by Jan Dekert, the president of the Old Warsaw; this demonstration was organized to support Polish reformers struggling to improve a juridical position of the Polish towns
1791	— passing of the 3rd May Constitution
1792	— foundation of the Powązkowski Cementery
1794	— Kościuszko Insurrection in Warsaw began with forcing the Russian garrison out (17 IV) and finished with massacring the Praga dwellers by Russian troops under Alexandr Suworow's command (4 XI) and final surrendering the capital (5 XI)
1795	— the Third Partition of Poland; Warsaw has been incorporated into Kingdom of Prussia
1800	— establishing of the Friends' of Sciences Society at Stanisław Sołtyk and Stanisław Staszic's suggestion
1806	— the seizure of Warsaw by Army of Napoleon I (27 XI)
1807	— Warsaw becomes capital of Duchy of Warsaw on the strength of the French-Russian peace treaty in Tylża (9 VI)
1813	— the seizure of Warsaw by Russian army (I)
1815	— Warsaw becomes the capital of Kingdom of Poland dependent on Russia on the strenght of the Vienna Congress decision (20 VI)
1815 - 1830	— demolition of old buildings to form large squares: the Castle Square (destruction of the Cracow Gate), the Teatralny Square (removal of Marywil, the trade centre) and the Bankowy Square (destruction of the Ogińskis Palace outbuildings)
1816	— establishing of the Royal University of Warsaw and the Agronomic Institute
1818	— Warsaw becomes the capital of a new archdiocese including contemporary Kingdom of Poland and the Free Town Cracow
1818 - 1822	— building of the neo-classic Belvedere Palace after Jakub Kubicki's design, from 1989 seat of the president of Poland
1820 - 1823	— building of Staszic's Palace, after Antonio Corazzi's design, the seat of the Friends' of Sciences Society
1821	— establishing of the Conservatory
1824 - 1825	— rebuilding of palaces in Rymarska Street for the building of the Government Profits and Treasury Committee in the Bankowy Square (now seat of municipal authorities)
1825 - 1832	— building of the Grand Theatre after Antonio Corazzi's design
1830	— the erection of the monument to Mikołaj Kopernik by Danish sculptor, Bertel Thorvaldsen, in front of the Staszic's Palace;
	— the outbreak of the November Uprising — Warsaw becomes the seat of the rebel government (29 XI)
1831	— the seizure of Warsaw by Russian army
1832	— unveiling of the monument to Prince Józef Poniatowski after Bertel Thorvaldsen's design
1832 - 1834	— building of the Cytadela, a fortress and prison, the crew of which was to be protection against the subsequent attempt of Poles' rebellion
1844	— establishing of the School of Fine Arts
1845 - 1848	— building of the first Warsaw-Vienna railway and station at the crossing of Marszałkowska Street and Jerozolimskie Avenues
1851	— start of the river port on the Vistula River
1856	— start of municipal gas-works
1859 - 1864	— building of the steel bridge over Vistula River after Stefan Kierbedź's design, the first steady construction of that type
1862	— establishing of the Museum of Fine Arts
	— opening of the General School with university program, in 1869 transformed into the Russian university
1862 - 1878	— the development of railway lines: the Petersburska Line (1862), the Terespolska Line (1867), the Peripherial Line (1875) and the Nadwiślańska Line (1878)
1863	— the outbreak of the January Uprising — Warsaw becomes the seat of the National Government
1864	— the execution of Romuald Traugutt, the dictator of the Uprising, with five directors of the National Goverment departments
1865	— the first horse-drawn tram in streets of the town
1875	— opening of the railway bridge over Vistula River at near Cytadela
1881	— building of a modern water-pipe and a sewerage network at the suggestion of Sokrat Starynkiewicz, Russian president of Warsaw
	— putting the first telephonic line to use, built by A.G. Bell Association